Chicos Chicas

Libro del alumno
nivel 2

Mª Ángeles Palomino

edelsa

GRUPO DIDASCALIA, S.A.
Plaza Ciudad de Salta, 3 - 28043 MADRID - (ESPAÑA)
TEL.: (34) 914.165.511 - (34) 915.106.710
FAX: (34) 914.165.411
e-mail: edelsa@edelsa.es - www.edelsa.es

Primera edición: 2003
Primera reimpresión: 2004
Segunda reimpresión: 2005
Tercera reimpresión: 2005
Cuarta reimpresión: 2005
Quinta reimpresión: 2006
Sexta reimpresión: 2007
Séptima reimpresión: 2007
Octava reimpresión: 2007
Novena reimpresión: 2007
Décima reimpresión: 2008
Undécima reimpresión: 2008
Duodécima reimpresión: 2009
Decimotercera reimpresión: 2009
Decimocuarta reimpresión: 2011
Decimoquinta reimpresión: 2012
Decimosexta reimpresión: 2013
Vigésima reimpresión: 2014

© Edelsa Grupo Didascalia, S.A. Madrid, 2003
© Autora: Mª Ángeles Palomino.

Dirección y coordinación editorial: Departamento de Edición de Edelsa.
Diseño de cubierta, maquetación y fotocomposición: Departamento de Imagen de Edelsa.

Imprenta: Rógar.

ISBN versión internacional: 978-84-7711-782-7
ISBN versión italiana: 978-88-7940-312-2 (Versión exclusiva para Inter Logos).
Depósito legal: M-4260-2011
Impreso en España
Printed in Spain

Fuentes, créditos y agradecimientos

Ilustraciones:
Ángeles Peinador Arbiza.

Fotografías:
Archivo y Dpto. de Imagen de Edelsa.
Author s Image.
Flat Earth.

Notas:
-La editorial Edelsa ha solicitado los permisos de reproducción correspondientes y da las gracias a quienes han prestado su colaboración.

El nivel 2 de **Chicos-Chicas** sigue los mismos principios metodológicos y didácticos que el nivel 1, apoyándose en el documento de reflexión para la adquisición de las lenguas: el **"Marco de referencia europeo para el aprendizaje, la enseñanza y la evaluación de lenguas"**.

Los estudiantes de nivel 2 han madurado ya, por lo que las temáticas, las actividades y las estrategias han sido elegidas y diseñadas para amoldarse a la sensibilidad de los adolescentes.

La estructura y la secuenciación del nivel 2 son idénticas a las del nivel 1.

Estructura: **8 unidades** con **2 lecciones** por unidad, un **glosario** y unas **tablas de conjugación**.

Secuenciación de una unidad:
• **2 lecciones**.
Cada lección se compone de:
- una doble página de introducción de los contenidos nuevos.
- una doble página de "Consolida y Amplía".
Para cerrar la unidad tenemos:
- una doble página de "Un país en tu mochila". Esta sección, ya iniciada en el nivel 1, se completa en el nivel 2 con la presentación de los países del mundo hispano no vistos en el nivel anterior.
- una página de iniciación a las nuevas tecnologías con "Chic@s en la red".
- una página de Ficha resumen de los contenidos comunicativos, gramaticales y de léxico estudiados en la unidad, que pueden servir de base para realizar una evaluación.

La propuesta didáctica consolida los conocimientos y desarrolla las destrezas necesarias para la competencia comunicativa diaria.

	Unidad 1	Unidad 2	Unidad 3	Unidad 4
UNIDADES	Lección 1: ¿Quién es esa chica? Lección 2: Quiero hacer teatro.	Lección 3: ¿Cómo se va? Lección 4: De compras.	Lección 5: Me gustan estos vaqueros. Lección 6: ¿Cuánto cuesta?	Lección 7: Eva vive en el quinto. Lección 8: ¿Me lo prestas?
CONTENIDOS	**Competencias pragmáticas:** • Hablar del tiempo libre. • Decir la opinión. • Mostrar acuerdo y desacuerdo. • Hablar de horarios. • Indicar planes. • Preguntar y decir la fecha y la hora. • Proponer actividades, aceptarlas y rechazarlas. **Competencias lingüísticas:** - Competencia gramatical: • Verbos de opinión: *encantar, gustar*. • Perífrasis verbales: *querer/poder* + Infinitivo. • Interrogativos *(dónde, cuándo, cómo, cuál, cuánto, por qué, qué, quién)*. - Competencia léxica: • Actividades de ocio. **Competencias generales:** • El conocimiento del Mundo Hispano: Ecuador. • Acercamiento a las Nuevas Tecnologías.	**Competencias pragmáticas:** • Dar y seguir instrucciones. • Indicar itinerarios. • Contar desde cien. • Localizar en un plano. • Describir un barrio. • Comparar. **Competencias lingüísticas:** - Competencia gramatical: • El Imperativo afirmativo, verbos regulares e irregulares. • Oposición *hay/está(n)*. • Pronombres complemento directo *lo(s)/la(s)*: uso y posición. • Los comparativos. - Competencia léxica: • La ciudad: calle, comercios, locales, servicios y productos. • Los números desde cien. • La fiesta. **Competencias generales:** • El conocimiento del Mundo Hispano: Colombia. • Acercamiento a las Nuevas Tecnologías.	**Competencias pragmáticas:** • Describir prendas de vestir. • Indicar objetos: proximidad y lejanía. • Preguntar y expresar preferencias. • Exclamar. • Dar la opinión: *parecer*. **Competencias lingüísticas:** -Competencia gramatical: • Los demostrativos. ¡*Qué* + adjetivo! • El superlativo. • El verbo *parecer*. • Pronombres personales reflexivos + complemento directo: combinación y posición. -Competencia léxica: • La ropa. • Materias y estampados. • Adjetivos para describir la ropa. • Los colores. **Competencias generales:** • El conocimiento del Mundo Hispano: Panamá. • Acercamiento a las Nuevas Tecnologías.	**Competencias pragmáticas:** • Describir la casa, el piso. • Situar muebles y objetos en una habitación. **Competencias lingüísticas:** -Competencia gramatical: • Los numerales ordinales hasta 10° (décimo). • Preposiciones y adverbios de lugar. • Presentes irregulares: *fregar, recoger*. • Pronombres complemento directo e indirecto: combinación y posición. -Competencia léxica: • La casa: habitaciones y muebles. • Adjetivos para describir una vivienda. • El dormitorio. • Las tareas domésticas. **Competencias generales:** • El conocimiento del Mundo Hispano: Uruguay. • Acercamiento a las Nuevas Tecnologías.

ÁMBITOS   P E R S O N A L   -   P Ú

TEMAS TRANSVERSALES   Conciencia intercultural - tolerancia - igualdad de sexos

TAREAS Y PROPÓSITOS COMUNICATIVOS

Actividades de:
- expresión oral
- expresión escrita

Estrategias de expresión

Unidad 5	Unidad 6	Unidad 7	Unidad 8
Lección 9: ¡Qué hambre! **Lección 10: Javier ha hecho un postre.**	**Lección 11: Eras muy deportista.** **Lección 12: Como tenía tiempo, vi la tele.**	**Lección 13: La vida en el 2084.** **Lección 14: ¿Quieres conocer tu futuro?**	**Lección 15: ¡Y no vuelvas tarde!** **Lección 16: ¡Me duele todo el cuerpo!**

Competencias pragmáticas: • Hablar de gustos (alimentación). • Explicar los pasos de una receta de cocina. • Contar acontecimientos pasados. • Hacer recomendaciones generales. **Competencias lingüísticas:** -Competencia gramatical: • *Para* + pronombre personal. • Los pronombres posesivos. • El Pretérito Perfecto. • El Pretérito Indefinido. • Contraste de uso Pretérito Perfecto/Pretérito Indefinido. • Expresiones de tiempo que acompañan al Pretérito Perfecto y al Pretérito Indefinido. • *Hay que/Conviene/Es necesario* + Infinitivo. -Competencia léxica: • Los alimentos. • La mesa: cubiertos, vasos... **Competencias generales:** • El conocimiento del Mundo Hispano: Guatemala. • Acercamiento a las Nuevas Tecnologías.	Competencias pragmáticas: • Describir en el pasado. • Relatar acontecimientos pasados. • Expresar las circunstancias de acciones pasadas. **Competencias lingüísticas:** -Competencia gramatical: • El Pretérito Imperfecto, verbos regulares e irregulares. • El Pretérito Indefinido (repaso). • Contraste de uso Pretérito Imperfecto/ Pretérito Indefinido. • Posición de *Como* + Imperfecto/*porque* + Imperfecto. -Competencia léxica: • Léxico general. **Competencias generales:** • El conocimiento del Mundo Hispano: Paraguay. • Acercamiento a las Nuevas Tecnologías.	Competencias pragmáticas: • Hablar del futuro. • Expresar planes. • Indicar la obligación. **Competencias lingüísticas:** -Competencia gramatical: • El Futuro, verbos regulares e irregulares. • *Tener que/Deber* + Infinitivo. -Competencia léxica: • Actividades de ocio. **Competencias generales:** • El conocimiento del Mundo Hispano: Costa Rica. • Acercamiento a las Nuevas Tecnologías.	Competencias pragmáticas: • Pedir permiso. • Aconsejar y sugerir. • Hacer recomendaciones. • Expresar dolor. **Competencias lingüísticas:** -Competencia gramatical: • El Imperativo negativo, verbos regulares e irregulares. • Imperativo, posición de los pronombres reflexivos. • El Presente de Subjuntivo. • El verbo *doler*. -Competencia léxica: • La bicicleta. • Las partes del cuerpo. **Competencias generales:** • El conocimiento del Mundo Hispano: Mundo Inca. • Acercamiento a las Nuevas Tecnologías.

B L I C O - E D U C A T I V O

- respeto del medio ambiente - respeto al mundo animal - educación para la paz.

Actividades de: -comprensión auditiva -comprensión lectora	**Estrategias de comprensión**	**Actividades de interacción:** -oral -escrita	**Estrategias de interacción**

El idioma español en el mundo

COLOMBIA
35.850.000

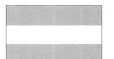

ARGENTINA
35.300.000

MÉXICO
92.890.000

NICARAGUA
4.112.000

CUBA
11.190.000

PUERTO RICO
3.741.000

GUATEMALA
7.270.000

EL SALVADOR
5.662.000

COSTA RICA
3.382.000

PANAMÁ
2.088.000

ECUADOR
11.100.000

PERÚ
19.440.000

CHILE
13.080.000

URUGUAY
3.050.000

PARAGUAY
2.805.000

BOLIVIA
6.180.000

VENEZUELA
22.060.000

HONDURAS
5.718.000

b. Ahora, utiliza las expresiones del ejercicio a. y di qué:

 Te encanta

 Te gusta

 No te gusta

 Detestas

4. **a. Lee.**

¡Hola!
Me llamo Marina. Tengo trece años. Vivo en Sevilla. Voy al instituto Goya. Mi asignatura favorita es la historia. Tengo dos hermanos, se llaman Juanjo y Víctor. También tengo dos perros. Los sábados por la mañana practico la natación, es mi deporte preferido. Por la tarde, hago los deberes y, luego, salgo con mis amigas. Los domingos no salgo, me quedo en casa. Por la mañana leo un poco, sobre todo novelas de ciencia-ficción y, por la tarde, veo la tele o navego por Internet.

 b. Ahora, tapa el texto y completa estas frases de memoria. Después comprueba tus respuestas.

Su asignatura favorita es la ___historia___ .
Los ___sábados___ por la mañana practica la ___natación___ , es su deporte ___preferido___
Los domingos no ___sale___ , se ___queda___ en casa.
Por la mañana, lee ___un poco___ , sobre todo ___novelas___ de ciencia-ficción.
Por la tarde, ___ve___ la tele o navega ___por___ Internet.

c. Quieres saber más cosas sobre Marina. Escribe cinco preguntas.

0. ¿Cuándo es tu cumpleaños?
1. ¿Cuántos años tienen tus hermanos?
2. ¿Te gusta el deporte?
3. ¿Cómo se llaman tus perros?
4. ¿Te gusta dibujar?
5. ¿Tienes una casa grande?

Quiero hacer teatro

1. Lee el cartel de las actividades del Club y contesta a las preguntas.

Lunes	Martes	Miércoles
17:00-18:00 Coro	17:00-18:00 Conjunto musical	17:00-18:00 Baloncesto
18:00-19:00 Fútbol	18:00-19:00 Pintura	18:00-19:00 Natación

Jueves	Viernes	Sábado
17:00-18:00 Teatro	17:00-18:00 Curso de guitarra	10:00-12:00 Cine-forum
18:00-19:00 Yudo	18:00-19:00 Baile	12:00-14:00 Taller de letras

Domingo : Senderismo

QUERER/PODER + INFINITIVO

Querer + infinitivo	Poder + infinitivo
quiero	puedo
quieres	puedes
quiere	puede
queremos	podemos
queréis	podéis
quieren	pueden

¿Quieres jugar al baloncesto?
Queremos aprender a bailar.

Puedes pintar los martes.
Los jueves podemos hacer yudo.

• A César le encantan las manualidades.

pintura

> ¿A qué actividad se puede apuntar?

• A un amigo tuyo sólo le gusta el deporte.

Lunes 18-19
Miércoles 17-18
Miércoles 18-19
Jueves 18-19
Viernes 18-19
Domingo

> ¿Qué puede hacer?
> ¿Qué días y a qué hora?

Fútbol
Baloncesto
Natación
Yudo
Baile
Senderismo

• A Mario le gusta mucho pasear por el campo.

Lo puede hacer el domingo

> ¿Cuándo puede hacerlo?

• Paulina quiere montar un grupo de *rock* con unos amigos, pero no sabe tocar la guitarra.

> ¿Qué día puede aprender?

Viernes 17-18

2. Y tú, ¿qué quieres hacer? ¿Cuándo puedes practicar tus actividades preferidas?

 3. Eva y Pedro están leyendo el folleto de las actividades del Club y llega Camila.

a. Antes de escuchar la conversación contesta a estas preguntas. Pero recuerda sus gustos (pág. 18). ¿A qué actividad(es) se va a apuntar cada uno? ¿Pueden apuntarse a una o a varias actividad(es) juntos? ¿A cuál(es)?

b. Escucha y lee. Comprueba tus respuestas.

Camila:	¿Te gustan las actividades?
Eva:	Sí, mucho. Voy a apuntarme a las clases de guitarra. ¿Y tú?
Camila:	Yo también quiero aprender a tocar la guitarra.
Eva:	Mira, los martes puedes tocar en el conjunto musical.
Pedro:	Yo también quiero hacerlo.
Eva:	Bueno, pues... nos apuntamos los tres, ¿vale?
Pedro:	¡Vale!
Camila:	Yo quiero hacer otra actividad: cine-forum los sábados.
Pedro:	Pues yo, los jueves, quiero hacer teatro.
Eva:	Y yo me voy a apuntar a yudo los jueves.
Camila:	¿Venimos juntos el martes próximo?
Pedro:	¡Genial! ¿Cómo quedamos?
Eva:	¿Qué tal delante de mi casa a las cuatro y media?
Camila:	No, mejor a las cinco menos cuarto.
Eva:	Bueno, pues a las cinco menos cuarto.

4. Elige actividades y prepara un diálogo como el de los tres amigos. Luego, represéntalo ante la clase. Puedes usar expresiones como estas:

PROPONER ACTIVIDADES

¿Quieres   aprender a cantar / a bailar / a pintar / a tocar la guitarra, el piano?
navegar por Internet?
hacer teatro / gimnasia?
jugar al fútbol / al baloncesto?
practicar yudo?

ACEPTAR O RECHAZAR PROPUESTAS

¿Nos apuntamos a las clases de yudo | danza | piano | guitarra |
... | al taller de letras?
Vale. ¿Cómo quedamos?

¿Qué tal delante del aula a las cinco?
Vale.

¿Te parece bien en el gimnasio a las siete?
No, a las seis menos diez, mejor.

2. **¿Verdadero o falso?**

	V	F
Hay tres paradas de autobús.	☐	☐
La pastelería está al lado de la frutería.	☐	☐
El polideportivo está detrás de la pescadería.	☐	☐
Hay un puesto de periódicos delante del supermercado.	☐	☐

3. **a. Lee los nombres de los productos.**

aspirinas

una lata de guisantes

un litro de leche

un pastel

helados

una barra de pan

una chuleta de cerdo

zumo de naranja

unos vaqueros

un periódico/un diario

merluza

comida para el gato

un melón

un sello

una goma

 b. La madre de Pedro está preparando la comida, pero le faltan algunas cosas y le manda a comprarlas. Escucha, ¿qué necesita?

4. **a. Observa.**

LOS PRONOMBRES PERSONALES COMPLEMENTO DIRECTO: POSICIÓN

¿Dónde puedo comprar un jersey?
Puedes comprarlo en la tienda de ropa.
Lo puedes comprar en el centro comercial.

¿Dónde puedo comprar una tarta?
Puedes comprarla en la pastelería.
La puedes comprar en el supermercado.

¿Dónde puedo comprar limones?
Puedes comprarlos en la frutería.
Los puedes comprar en el supermercado.

¿Dónde puedo comprar revistas?
Puedes comprarlas en la librería.
Las puedes comprar en el puesto de periódicos.

 b. ¿Dónde puedes comprar los productos de la actividad 3. a.?

El sello.

- *Puedo comprarlo en Correos.*
- *Lo puedo comprar en Correos.*

1. Observa la ilustración del barrio de la página 32. ¿Qué se vende en cada tienda?

2. Observa.

0 cero	10 diez	20 veinte	30 treinta	200 doscientos/as
1 uno	11 once	21 veintiuno	31 treinta y uno	300 trescientos/as
2 dos	12 doce	22 veintidós	32 treinta y dos	400 cuatrocientos/as
3 tres	13 trece	23 veintitrés	40 cuarenta	500 quinientos/as
4 cuatro	14 catorce	24 veinticuatro	50 cincuenta	600 seiscientos/as
5 cinco	15 quince	25 veinticinco	60 sesenta	700 setecientos/as
6 seis	16 dieciséis	26 veintiséis	70 setenta	800 ochocientos/as
7 siete	17 diecisiete	27 veintisiete	80 ochenta	900 novecientos/as
8 ocho	18 dieciocho	28 veintiocho	90 noventa	1.000 mil
9 nueve	19 diecinueve	29 veintinueve	100 cien	1.000.000 un millón

FÍJATE

- Del 1 al 29, los números se escriben en una palabra.
- Entre las decenas y las unidades se usa y: *42 = cuarenta y dos, 65 = sesenta y cinco.*
- Delante de unidades y decenas se usa ciento: *108 = ciento ocho, 140 = ciento cuarenta.*

1 *un chico*	1 *una chica*
21 *veintiún chicos*	21 *veintiuna chicas*
31 *treinta y un chicos*	31 *treinta y una chicas*
200, 300 *doscientos, trescientos... chicos*	200, 300 *doscientas, trescientas... chicas*

1.008 = *mil ocho*
2.510 = *dos mil quinientos diez*
12.350 = *doce mil trescientos cincuenta*
3.400.004 = *tres millones cuatrocientos mil cuatro*

3. **a. Escribe en letras la extensión de estos países hispanoamericanos.**

- Bolivia: 1.098.580 km².
- Chile: 756.626 km².
- Costa Rica: 51.100 km².
- Cuba: 110.922 km².
- Ecuador: 256.370 km².
- Paraguay: 406.752 km².
- Perú: 1.285.216 km².
- Puerto Rico: 8.897 km².
- Venezuela: 916.445 km².

b. ¿Cuál es la extensión de tu país? Puedes buscarla en un diccionario.

 4. **¿Cuánto cuesta? ¿Cuánto cuestan?**

A

¿Cuánto cuestan estos objetos? Pregúntale a tu compañero.

Ahora, contesta a tu compañero.

Portátil 1.875	**Bici** 123
Deportivas 27,08	**CD Enrique Iglesias** 15
Móvil 236,62	**Vaqueros** 23,39

Contesta a las preguntas de tu compañero.

Deportivas 13,81	**Pantalones** 16,92
CD Ricky Martín 15	**Ordenador** 1.258
Bici 123	**Móvil** 246,62

Contesta a las preguntas de tu compañero.

B

5. **a. Observa.**

LOS COMPARATIVOS

+ El ordenador es **más** grande **que** el portátil.

- El móvil verde es **menos** caro **que** el azul.

= El CD de Ricky Martin es **tan** caro **como** el de Enrique Iglesias.

b. Observa los objetos del ejercicio 4. Completa en tu cuaderno con comparativos. Usa estos adjetivos.

Los pantalones negros son *más estrechos que* los vaqueros.

Las deportivas blancas son *más baratas que* las marrones.

La bici de montaña roja es *tan cara como* la azul.

El móvil verde es *tan moderno como* el azul.

El portátil es *más pequeño que* el ordenador.

small **pequeño**
cheap **baratas**
modern **moderno**
expensive **cara**
tight **estrechos**

FICHA RESUMEN

COMUNICACIÓN

- Describir prendas de vestir

La falda larga de lunares; los pantalones vaqueros estrechos;
la cazadora de pana marrón.
La blusa de algodón es demasiado ancha.
- Preguntar y expresar preferencias

Me encanta este vaquero, ¿y a ti?
Sí, es precioso.
¿Te gusta el vestido verde?
Bueno... no está mal.
- Exclamar

¡Qué feo/a! ¡Qué fácil!
- Dar la opinión: *parecer*

Esta falda me parece un poco larga.
Estos pantalones me parecen muy caros.

GRAMÁTICA

- Adjetivos demostrativos: *este, esa, aquellos...*

Esta falda va bien con ese jersey.
¿Te gustan aquellos vaqueros?
- El superlativo: *carísima, elegantísimo, larguísimos...*

¡Estos zapatos son carísimos!
- El verbo *parecer*

Me parece, te parece, le parece, nos parece, os parece, les parece.
- Verbos pronominales + pronombres de objeto directo: *me lo, te la, se los, nos lo, os la...*

Me pongo el jersey: me lo pongo.

VOCABULARIO

- La ropa

La blusa, el pantalón, el jersey, los zapatos, el vestido, el abrigo, la camiseta, el top, los vaqueros, las botas, el chaleco, la cazadora, el cinturón, la falda, la sudadera, las deportivas, los calcetines.
- Materias y estampados

De pana, de lana, de algodón, de piel, de cuadros, de rayas, de lunares, liso.
- Adjetivos para describir ropa

Ancho, estrecho, corto, largo, grande, pequeño, bonito, feo, caro, barato.

4 Unidad

Eva vive en el quinto

1. Esta es la casa de Eva. Localiza las siguientes palabras en el plano.

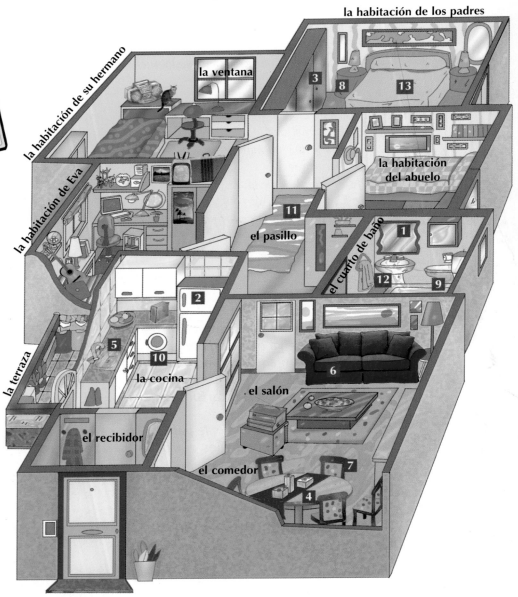

la habitación de los padres

la habitación de su hermano

la ventana

3 8 13

la habitación del abuelo

la habitación de Eva

11

el pasillo

el cuarto de baño

1

12 9

el sofá
la nevera
la alfombra
el lavabo
la mesa
el espejo
el váter
la cama
la mesilla
el armario
la silla
la lavadora
el fregadero

2

5
10

la cocina

la terraza

6

el salón

el recibidor

el comedor

7

4

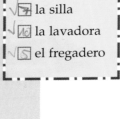

2. a. Escucha cómo Eva le enseña su casa a Camila.
b. ¿Verdadero o falso?

	V	F
El salón y el comedor están juntos.	✓	
El váter está en el cuarto de baño.	✓	
La cocina da a un jardín.		✗
El salón tiene terraza.		✗
La habitación de Eva está enfrente del cuarto de baño.	✓	
En esta casa viven seis personas.		✗

3. Observa de nuevo la ilustración y forma frases con un elemento de cada columna.

En el salón		junto a la lavadora.
En el comedor		entre el recibidor y la habitación de Eva.
La tele		cinco sillas.
Sobre la cama de Eva	**hay**	enfrente del sofá.
La nevera	**está**	una alfombra.
El gato	**están**	en la habitación del hermano de Eva.
Las sillas		alrededor de la mesa.
La cocina		un espejo.
Encima del lavabo		una guitarra.

 4. Ubica un objeto o un mueble de la casa. Tus compañeros dirán cuál es.

Está sobre el lavabo.

Es el espejo.

 **5.** Un sábado después de comer en casa de Eva. Escucha y completa qué hace cada uno.

- Su hermano Javier está ⬚⬚⬚⬚ en su habitación.
- Su madre está en ⬚⬚⬚⬚ .
- Su padre está ⬚⬚⬚⬚ en el salón.
- Su abuelo está ⬚⬚⬚⬚ .
- Eva va a hacer los deberes en ⬚⬚⬚⬚ .

 6. a. Contesta.

- ¿Vives en una casa o en un piso?
- ¿En qué piso está? ¿Tiene ascensor?
- ¿Dónde está situado?
- ¿Es tranquilo/a o ruidoso/a?
- ¿Es antiguo/a o moderno/a?
- ¿Es soleado/a?
- ¿Está bien comunicado/a?
- ¿Tu habitación da a la calle, a un jardín, a un patio?

10. el décimo piso

9. el noveno piso

8. el octavo piso

7. el séptimo piso

6. el sexto piso

5. el quinto piso

4. el cuarto piso

3. el tercer piso

2. el segundo piso

1. el primer piso

0. la planta baja

 b. Dibuja un plano de tu casa en tu cuaderno. Indica el nombre de cada habitación. Descríbeselo a tu compañero.

3. Por turnos. Contesta a las preguntas según el modelo.

¿De quién es esta mochila?	YO	*Es mía. / Es la mía.*
¿De quién son estos CD?	JUAN	
¿De quién es este coche?	MIS PADRES	
¿De quién son estos cafés?	USTEDES	
¿De quién es este reloj?	TÚ	
¿De quién son estos libros?	NOSOTROS	
¿De quién es esta chaqueta?	USTED	
¿De quién son estas bicicletas?	VOSOTROS	

4. **a.** Lee este texto sobre el desayuno.

EL DESAYUNO IDEAL

Una buena alimentación empieza con el desayuno, es la comida más importante del día.
Permite reponer la energía para estar en forma durante todo el día. Hay que tomar:

1. **Cereales:** dan energía y contienen fibras.
2. **Un producto lácteo:** tiene calcio y vitaminas.
3. **Una fruta o un zumo:** aporta vitamina C y minerales.

  b. Completa con tu compañero el cuadro de calorías.

A

Calorías
- 100 gramos de pan: ....
- 1 tazón de chocolate con leche: 95
- 1 yogur azucarado: ....
- 150 gramos de queso fresco: 55
- 1 bollo: ....
- 1 tazón de copos de maíz: 350
- 4 galletas: ....
- 1 naranja: 55
- 1 manzana: ....
- 1 vaso de zumo de naranja: 70

B

Calorías
- 100 gramos de pan: 230
- 1 tazón de chocolate con leche: ....
- 1 yogur azucarado: 90
- 150 gramos de queso fresco: ....
- 1 bollo: 270
- 1 tazón de copos de maíz: ....
- 4 galletas: 470
- 1 naranja: ....
- 1 manzana: 75
- 1 vaso de zumo de naranja: ....

c. Prepárate un desayuno completo. No debe tener más de 600 calorías.

Javier ha hecho un postre

1. a. ¿Qué ingredientes crees que son necesarios para preparar un batido de melocotón?

b. Javier ha preparado uno para su hermana Eva, ¿ha utilizado los mismos ingredientes que tú? Escucha y comprueba.

Javier:	Eva, ¿has terminado ya?
Eva:	Sí, ¿por qué?
Javier:	Pues... porque aquí está el postre.
Eva:	¡Qué sorpresa! ¡Mi postre favorito! La última vez que lo tomé fue el día de mi cumpleaños.
Javier:	Lo he hecho yo esta mañana con la receta que me dio la abuela.
Eva:	A ver... ¿Cómo lo has hecho?
Javier:	Pues como ella me dijo. Primero he lavado los melocotones, los he pelado y los he cortado en trozos. Luego los he puesto en una fuente y he añadido el azúcar y los yogures.
Eva:	Está bien. ¿Y después?
Javier:	He mezclado todo y lo he echado en las copas. Ah... y luego he puesto el chocolate rallado que trajo Agustín ayer de su viaje.
Eva:	Tiene que estar muy rico. Voy a probarlo.
Javier:	A ver qué te parece...
Eva:	¡¡Puaff!! ¡Qué malo!

c. Para contar los pasos de la receta, Javier usa el Pretérito Perfecto.

EL PRETÉRITO PERFECTO

Presente de haber	+	Participio		Participios irregulares			
(Yo)	he						
(Tú)	has			abrir	abierto	ver	visto
(Usted/él/ella)	ha	llegado (llegar)		poner	puesto	escribir	escrito
(Nosotros/as)	hemos	comido (comer)		decir	dicho	volver	vuelto
(Vosotros/as)	habéis	salido (salir)		romper	roto	hacer	hecho
(Ustedes/ellos/ellas)	han						

2. Escucha de nuevo a Eva y a Javier. Ordena los pasos y completa.

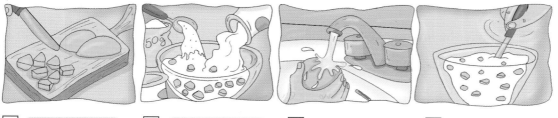

☐ _____ ☐ _____ ☐1 Ha lavado los melocotones. ☐ _____

☐ _____ ☐ _____ ☐ _____

3. En esta conversación, además del Pretérito Perfecto, aparece otro tiempo de pasado, el Pretérito Indefinido. Busca los verbos en el ejercicio 1. b.

¿Cuáles son los Pretéritos Indefinidos?

Los Pretéritos Indefinidos son...

4. Javier también utiliza el Pretérito Indefinido. Observa.

EL PRETÉRITO INDEFINIDO

VERBOS REGULARES

Verbos en -ar	Verbos en -er/-ir	
HABLAR	COMER	ESCRIBIR
hablé		-í
hablaste	com	-iste
habló	escrib	-ió
hablamos		-imos
hablasteis		-isteis
hablaron		-ieron

VERBOS IRREGULARES EN 3ª PERSONA

to read   *to sleep*   *to follow*

LEER	DORMIR	SEGUIR	
leí	dormí	seguí	(Yo)
leíste	dormiste	seguiste	(Tú*)
leyó	durmió	siguió	(Usted/él/ella)
leímos	dormimos	seguimos	(Nosotros/as)
leísteis	dormisteis	seguisteis	(Vosotros/as**)
leyeron	durmieron	siguieron	(Ustedes/ellos/ellas)

VERBOS IRREGULARES

	ESTAR *to be (place)*
(Yo)	estuve
(Tú*)	estuviste
(Usted/él/ella)	estuvo
(Nosotros/as)	estuvimos
(Vosotros/as**)	estuvisteis
(Ustedes/ellos/ellas)	estuvieron

SE FORMAN IGUAL:

hice* (hacer) *to do*
puse (poner) *to put on*
tuve (tener) *to have*
pude (poder) *to be able*
quise (querer) *to want*
supe (saber) *to know*
vine (venir) *to come*
conduje** (conducir) *to drive*

> * ¡Ojo! él hizo
> ** ¡Ojo! condujeron
> ¡Ojo! Ser/ir: fui, fuiste, fue

* En Argentina y diversas zonas de América Latina se usa **"vos"**.
** No se usa en América Latina. Sólo se usa "ustedes".

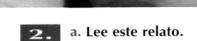

2. **a. Lee este relato.**

Compañeros de viaje

○ Imperfecto
○ Indefinido

El señor Fernández y el señor García viajaban por primera vez de Madrid a Barcelona en avión. No se conocían. El señor Fernández trabajó muchos años en un cine, de acomodador. Pero un día, el cine se transformó en bingo y el señor Fernández perdió su trabajo. Era pobre. Viajaba a Barcelona a la boda de su hija, ella estaba muy preocupada porque su padre no tenía traje para ponerse.

El señor García trabajó treinta años en un restaurante, pero un día, el dueño lo vendió y el señor García se quedó sin trabajo. El señor García también era pobre. Viajaba a Barcelona para participar en un concurso de televisión.

Durante el vuelo, el señor Fernández y el señor García hablaron mucho:
- Soy dueño de una cadena de cines, mentía el señor Fernández.
- Yo tengo más de diez restaurantes, mentía también el señor García.

Y cada uno pensaba que su acompañante era una persona muy rica. En el aeropuerto de Barcelona, el señor Fernández y el señor García dejaron sus maletas (que eran casi las mismas) en el suelo y se abrazaron. Luego, el señor Fernández se hizo el despistado y tomó la maleta del señor García. El señor García hizo lo mismo. Se separaron pensando que llevaban tesoros en la maleta.

Por la noche, en casa de su hija, el señor Fernández abrió la maleta del señor García. Los tesoros se transformaron en desilusión. Sólo había ropa vieja y el último traje de camarero del señor García.

Por la noche, en el hotel, el señor García abrió la maleta del señor Fernández. Sólo encontró ropa vieja y un viejo programa de cine que anunciaba la película *Los pájaros* de Alfred Hitchcock. El señor Fernández lo guardaba con nostalgia porque era la película del día de su primer trabajo en el cine, en 1963.

Al día siguiente, el señor Fernández fue a la boda de su hija vestido de camarero. El señor García fue al concurso de televisión y ganó el premio porque acertó la última y más difícil pregunta:
- «¿En qué año se estrenó la película *Los pájaros*?»
- En 1963, respondió contentísimo el señor García recordando el viejo programa del señor Fernández.

Un día después, el señor Fernández y el señor García volvieron a Madrid en distintos aviones. El señor Fernández contó a su compañero que era dueño de una cadena de cines y el señor García dijo al suyo que tenía más de diez restaurantes.

¿Se cambiaron las maletas en Madrid? Nadie lo sabe...

Adaptado de *Compañeros de Viaje*. (Alfredo Gómez Cerdá - Ediciones SM)

b. ¿Por qué iban a Barcelona? ¿Por qué se cambiaron las maletas? ¿Qué encontró cada uno en la maleta de su compañero?

c. Decide el final del relato.

3. **¿Recuerdas algún incidente en un viaje? ¿Alguna vez has perdido la maleta?**

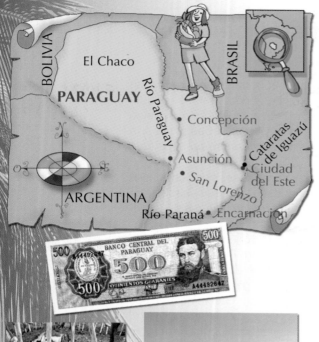

Paraguay

La República del Paraguay está en el centro de Sudamérica, entre Bolivia, Brasil y Argentina. Es un país sin mar pero con muchos ríos: posee unos 3.100 km de canales navegables. El río más importante es el Paraguay, que divide al país de norte a sur.

Paraguay tiene una superficie de 406.752 kilómetros cuadrados. Su población es de 5.359.000 habitantes: alrededor de un 91% son mestizos, descendientes de la mezcla de indios guaraníes y españoles.

La capital de este país es Asunción. Otras ciudades importantes son: Ciudad del Este, San Lorenzo, Fernando de la Mora, Encarnación, Coronel Oviedo y Concepción.

Paraguay es un país bilingüe: el español y el guaraní son los dos idiomas oficiales.

Posee una gran riqueza natural: 7.000 especies de aves, más de 200 de mamíferos, 100 de reptiles, 60 de anfibios y 8.000 de vegetales. Miles de estas especies de fauna y flora, gran cantidad de ellas en peligro de extinción, se encuentran en el Chaco, región al occidente del río Paraguay.

Algunos animales característicos son: el papagayo, el periquito, el jaguar, el puma, el tapir, el caimán o yacaré, la anaconda, la boa...

Algunas plantas y árboles típicos son: el acajú, el cedro oloroso, la araucaria, una gran variedad de palmeras, el bambú, la orquídea...

En Paraguay podemos distinguir tres tipos de paisajes: el del Chaco, que cubre el 60% de la superficie del país, la selva y el campo o sabana.

La agricultura es una gran fuente de ingresos. Los principales cultivos son: el algodón, la caña de azúcar, el maíz, la mandioca, la fresa/la frutilla, la patata/la papa, el tomate, el plátano/la banana, la naranja... También es importante la ganadería.

Asado a la estaca.

Cataratas de Iguazú.

Panteón de los Héroes.

Puente de la Amistad.

Indio guaraní.

Yacaré.

Papagayo.

Asunción de noche.

Plantación de bananas.

Artesanía indígena.

Reserva natural El Chaco.

mochila

Calle Palma y 14 de mayo.

Vista aérea de Asunción.

Guaraníes.

Concurso de *graffiti*.

Trajes típicos.

Ganadería.

Reserva natural
defensores del Chaco.

Palacio de López.

Fauna de madera guaraní.

Catedral.
ASUNCIÓN.

Mujer india. CHACO.

Mujer en un mercado.

Centro de Asunción.

Árbol Palo Borracho.

Río Paraguay.

Baile típico.

Documentos

AUGUSTO ROA BASTOS
(PARAGUAY)

Roa Bastos es uno de los grandes escritores latinoamericanos contemporáneos. Ha publicado más de veinte títulos, entre novelas, cuentos, obras de teatro y poesía. Ha sido traducido a 25 idiomas. En 1989 recibe el Premio Cervantes en reconocimiento a su labor.

"Hay miles y miles de millones de estrellas en el cielo de la noche. Algo quieren decir, algo dicen, en un lenguaje desconocido e indescifrable. Es el libro más inmenso que se ha escrito desde la creación (...) Las palabras de las estrellas están claramente impresas en el firmamento. Acaso mi nombre está escrito en una constelación invisible todavía (...)"

Augusto Roa Bastos. Fragmento de *Vigilia del Almirante*.

CHIC@S en la red 👉

1. ¿Sabes algo del Camino de Santiago? Lee esta aventura en bicicleta.

Chicos Chicas en la red

Enviar ahora | Enviar más tarde | Añadir archivos adjuntos | Firma ▼ | Opciones ▼

http//

Información general

El **_Camino de Santiago_** _es una ruta de gran recorrido muy conocida en España. Ya en la Edad Media se usaba como vía de peregrinación. Los caminos que nos llevan a Compostela pasan por regiones del norte ¡estupendas!_

_La **_bici_** es uno de los medios de transporte más utilizados para recorrer el Camino. Puedes usar la bici de montaña si quieres perderte por senderos, pistas y caminos, o la bici de carretera si no quieres abandonar el asfalto._

_Un **_grupo de amigos_** de Pamplona ¡se animó a recorrer el camino en bici! Esta es su última etapa: ¡disfrútala! Y si tú también te animas, ¡escríbenos y cuéntanos tu aventura!_

Historia

Materiales

Etapa:
-De Pamplona a Santiago
-De Burgos a Santiago

Guía útil:

> Etapa 14. Ribadero do Baixo-Monte do Gozo (Santiago) km. 40-velocidad media: 14-tiempo: 2'40 h.-vel. máx. 51'1

... ¡Se estaba terminando nuestra gran aventura! Estábamos muy cerca de Compostela y llegar al final de nuestro viaje nos producía alegría y tristeza.

No faltó en la última etapa un poco de emoción, ¡las subidas y bajadas fueron fantásticas!, aunque llovía y Jaime casi se cae. Al final llegamos al albergue super cansados. Eso sí, después de una buena ducha ¡nos lanzamos a la ciudad para disfrutar del primer día en Santiago, nuestra meta!

Primero fuimos a cenar a "Casa Juan", ¡estábamos muertos de hambre! Allí conocimos a unos chicos que venían de Burgos y con ellos nos fuimos a la ruta del "París-Dakar" ¡pero no la de verdad!: es un recorrido por locales del centro. Cuando volvimos al albergue estábamos muertos. Hoy ya estamos haciendo las mochilas ¡nos volvemos a casa, pero en tren!

Bibliografía
Cartografía
Albergues
Asociaciones de amigos

Experiencias

---

2. Ordena la última etapa.

☐ Conocimos a un grupo de ciclistas burgaleses.
☐ Salimos por la ciudad.
☐ Había muchas cuestas y llovía: Jaime estuvo a punto de caerse.
☐ Cenamos en "Casa Juan".
☐ Nos duchamos.

☐ Estamos preparando las mochilas.
☐ Nos encontrábamos muy cerca de Santiago.
☐ Llegamos al albergue.
☐ Hicimos la ruta del "París-Dakar".

3. Si quieres más información sobre el Camino de Santiago, puedes visitar esta _web_:
www.caminosantiago.org

Publicación en Red. Envía tu aventura a edelsa@edelsa.es
Publicaremos las mejores en el portal de Edelsa: www.edelsa.es sección AGENDA JUVENIL.

FICHA RESUMEN

COMUNICACIÓN

- Describir en el pasado

Cuando era pequeño vivía en el campo.

- Relatar acontecimientos pasados

Fuimos al cine, pero no pudimos entrar porque no había entradas...

- Expresar las circunstancias de acciones pasadas

Como estaba aburrido, llamé a Luis para salir.

Llamé a Luis para salir porque estaba aburrido.

GRAMÁTICA

- Pretérito Imperfecto
- Verbos regulares: *hablar > hablaba, comer > comía, escribir > escribía.*
- Verbos irregulares: *ir > iba, ser > era, ver > veía.*
- Contraste de uso Pretérito Imperfecto/Indefinido.

La gente se divertía: bailaba, charlaba, tomaba algo... ¡Me quedé en la fiesta hasta tarde!

- *Como* + Imperfecto + Indefinido

Como tenía tiempo, vi la tele.

- Indefinido + *porque* + Imperfecto

Vi la tele porque tenía tiempo.

VOCABULARIO

- Léxico general

Estar de moda, ver películas, tocar la guitarra, estudiar idiomas, hablar por el móvil, bailar, sacar fotos, ir en bici, esquiar, practicar, acampar, patinar, el móvil, el cohete, el chicle, la novela de ciencia ficción, la revista, el frasco de perfume, la playa.

4. José se va a casa de Camila en bici. Pero, antes, sus padres le dan algunos consejos. Escucha la conversación y di los consejos que le dan en Imperativo.

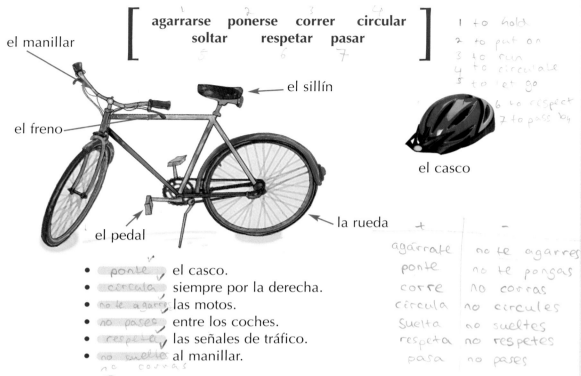

agarrarse   ponerse   correr   circular
soltar   respetar   pasar

1 to hold
2 to put on
3 to run
4 to circulate
5 to let go
6 to respect
7 to pass by

el manillar

el sillín

el freno

el casco

el pedal

la rueda

- *ponte* el casco.
- *circula* siempre por la derecha.
- *no te agarres* las motos.
- *no pases* entre los coches.
- *respeta* las señales de tráfico.
- *no sueltes* al manillar.

+	-
agárrate	no te agarres
ponte	no te pongas
corre	no corras
circula	no circules
suelta	no sueltes
respeta	no respetes
pasa	no pases

FÍJATE En imperativo afirmativo, los pronombres van después del verbo y forman una sola palabra: *Párate.*
En imperativo negativo, los pronombres van antes del verbo: *No te pares.*

5. a. ¿Sabes qué significan estas señales de tráfico? Relaciona y di frases en Imperativo.

- No girar a la izquierda.
- No llevar al gato en el sillín.
- Pararse.
- Usar el carril-bici.
- No torcer a la derecha.
- No adelantar a los coches con la bici.
- No ir a más de 80 km/h.

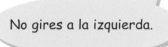

No gires a la izquierda.

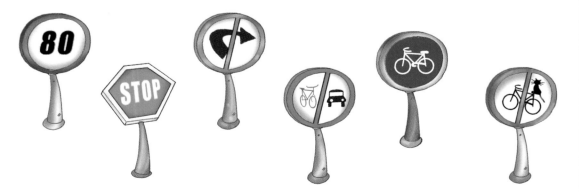

b. ¿Te has fijado? Dos señales son un poco raras, ¿no? ¿Cuáles?

1. **a.** ¿Qué crees que puedes hacer para cuidar el medio ambiente? Aquí tienes algunas sugerencias. Transforma oralmente los infinitivos en Imperativos negativos.

> ¿Qué puedes hacer para cuidar el medio ambiente?

> Para ahorrar agua no te bañes, dúchate.

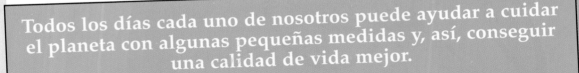

Todos los días cada uno de nosotros puede ayudar a cuidar el planeta con algunas pequeñas medidas y, así, conseguir una calidad de vida mejor.

Por la mañana, para ahorrar agua...
✓ No bañarse. Es mejor tomar una ducha corta: con el agua que cae en una ducha de 15 minutos se puede regar una planta durante un año.
✓ No dejar abierto el grifo mientras te lavas los dientes. Cada minuto que ahorras equivale al agua necesaria para regar 10 plantas.

Cuando te trasladas dentro de la ciudad...
✓ No utilizar mucho ni la motocicleta ni el coche. El transporte colectivo es mejor: si usas el autobús en lugar del coche ahorras un 80% de energía.
✓ No olvidar que puedes ir en bicicleta o andando a muchos sitios.

Durante el día, en tu lugar de estudio...
✓ No malgastar papel. Es recomendable usar papel reciclado: se ahorra un 50% de energía.
✓ No hacer fotocopias por una cara: consumes la mitad de papel si utilizas las dos.
✓ No dejar encendidas las luces y los aparatos eléctricos. Se consume energía inútilmente.

Por la tarde, cuando vuelves a casa...
✓ No poner la calefacción demasiado alta.
✓ No mezclar la basura. Es recomendable separarla en: papel, vidrio, latas de aluminio y basura orgánica.
✓ No usar bombillas de alto consumo. Las bombillas de bajo consumo, aunque son más caras, duran ocho veces más y consumen seis veces menos.

b. ¿Se te ocurren otras cosas que no debes hacer?

> Bosques
> Transportes
> Agua
> Energía
> Basura
> Consumo

> No hagas fuego en zonas no permitidas.

2. **a. Relaciona el verbo con las palabras y expresiones adecuadas.**

No tomar • — • los libros sobre la mesa
No cerrar • — • la ventana, hace calor
No salir • — • porque voy a llegar tarde
No esperarme, • — • ahora, está lloviendo
No comprar • — • la música tan alta
No apuntarme • — • el autobús 16
No volver • — • pan
No escuchar • — • en el libro
No girar • — • tarde
No ir • — • al curso de teatro
No escribir • — • a la izquierda
No poner • — • al instituto en bici

b. Da órdenes o consejos.

(tú) No (ir): No vayas al instituto en bici.
(tú) No (tomar): No tomes el autobús 16.
(ustedes) No (cerrar): No cierren la ventana, hace calor
(nosotros) No (salir): No salgamos ahora, está lloviendo
(ustedes) No (esperarme): No me esperen porque voy a llegar tarde
(tú) No (comprar): No compres pan
(usted) No (apuntarme): No me apunte al curso de teatro
(tú) No (volver): No vuelvas tarde
(ustedes) No (escuchar): No escuchen la música tan alta
(nosotros) No (girar): No giremos a la izquierda
(tú) No (escribir): No escribas en el libro
(usted) No (poner): No ponga los libros sobre la mesa

3. **Por turnos. Tu compañero te va a leer una frase. Tú, di lo contrario.**

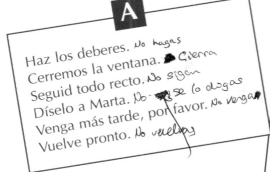

A

Haz los deberes. No hagas
Cerremos la ventana. Cierra
Seguid todo recto. No sigan
Díselo a Marta. No se lo digas
Venga más tarde, por favor. No venga
Vuelve pronto. No vuelvas

B

Pídele permiso a tus padres. No le pidas
Escribid el correo electrónico. No escribas
Sal a las cinco. No salgas
Comamos una hamburguesa. No comas
Pon la mesa. No pongas
Tuerza la primera a la izquierda. No tuerza

¡Me duele todo el cuerpo!

8 Unidad

1. En casa de Camila. Antes de la fiesta Camila le enseña a José a bailar el "cíber", un nuevo baile de moda.

a. Primero, observa el nombre de cada parte del cuerpo.

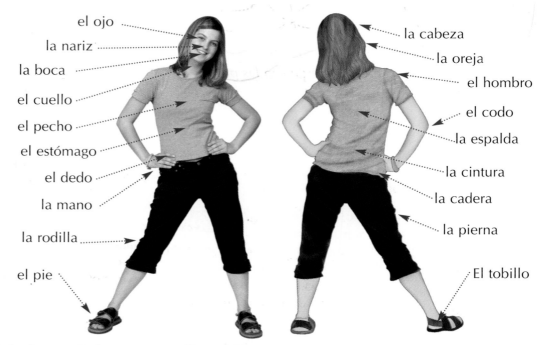

- el ojo
- la nariz
- la boca
- el cuello
- el pecho
- el estómago
- el dedo
- la mano
- la rodilla
- el pie
- la cabeza
- la oreja
- el hombro
- el codo
- la espalda
- la cintura
- la cadera
- la pierna
- El tobillo

b. Relaciona cada frase con una ilustración.

1. Dobla un poco las rodillas.
2. Pon los pies hacia adentro.
3. Mueve la cabeza y las caderas.
4. Separa un poco las piernas.
5. Levanta los brazos, dóblalos y pon las manos delante de la cara, con los dedos abiertos.

a   b   c   d   e

c. ¿Cómo crees que se baila el "cíber"? Intenta ordenar los pasos.

 d. Ahora escucha a José y a Camila y comprueba.

2. Observa.

DOLER

(A mí)	me			el estómago.
(A ti*)	te	duele	(un poco/mucho)	la cabeza.
(A él/ella/usted)	le			
(A nosotros/as)	nos			los ojos.
(A vosotros/as)	os	duelen	(un poco/mucho)	las piernas.
(A ellos/ellas/ustedes)	les			

* En Argentina y diversas zonas de América Latina se usa "vos".

3. **a. Camila y todos sus amigos bailaron sin parar hasta las once. ¿Cómo están al día siguiente? Escucha los diálogos y escribe qué le pasa a cada uno.**

1. José: *A José le duelen los pies* ✓
2. Camila: *A Camila le duelen las piernas*
   Su hermana: *A su hermana le duele el estómago* ✓
3. Pedro: *A Pedro le duele mucho la espalda* ✓
   Amigo: *Al amigo no le duele nada* ✓
4. Eva: *A Eva le duelen los brazos, la cintura y los pies y todo*

brazos
cabeza
pies
piernas
estómago
espalda
cintura

b. ¿Qué puedes recomendarle a cada uno?

A _4_: Es mejor que te quedes en casa descansando.
A _1_: Ponlos en agua fría.
A _3_: Es bueno que hagas gimnasia y te estires.
A _su_: No comas mucho y tómate algo.
A _2_: Es mejor que te des un paseo.
A _A_: Está bien que vayas, pero... ¡no bailes el cíber, que te va a doler todo!

SUGERIR

Es bueno
Es mejor + que + Presente de Subjuntivo
Está bien

EL PRESENTE DE SUBJUNTIVO

VERBOS REGULARES

BAILAR	COMER	ESCRIBIR
baile	coma	escriba
bailes	comas	escribas
baile	coma	escriba
bailemos	comamos	escribamos
bailéis	comáis	escribáis
bailen	coman	escriban

VERBOS IRREGULARES

CERRAR	MOVER	PEDIR	
cierre	mueva	pida	(Yo)
cierres	muevas	pidas	(Tú*)
cierre	mueva	pida	(Usted)
cerremos	movamos	pidamos	(Nosotros/as)
cerréis	mováis	pidáis	(Vosotros/as**)
cierren	muevan	pidan	(Ustedes)

VERBOS IRREGULARES

PRESENTE DE INDICATIVO → PRESENTE DE SUBJUNTIVO

* En Argentina y diversas zonas de América Latina se usa **"vos"**.
** No se usa en América Latina. Sólo se usa "ustedes".

HACER	HACER
hago ——→	haga
haces	hagas
hace	haga
hacemos	hagamos
hacéis	hagáis
hacen	hagan

PONER: ponga, pongas, ponga, pongamos, pongáis, pongan.
SALIR: salga, salgas, salga, salgamos, salgáis, salgan.
VENIR: venga, vengas, venga, vengamos, vengáis, vengan.

ESTAR: esté, estés, esté, estemos, estéis, estén.
IR: vaya, vayas, vaya, vayamos, vayáis, vayan.
SABER: sepa, sepas, sepa, sepamos, sepáis, sepan.

Pedro: A ver... espera... aquí está: ¡¡en torres de 1.352 metros!!
Eva: ¡Guau... ! Sigue, sigue...

Página 89, actividad 5b
Eva: Oye... ¿Sabes que mi hermano Javier vendrá a casa el sábado? Tiene vacaciones.
Camila: ¡¡Javier...!! ¿Y... qué haréis?
Eva: Pues, todavía no lo sé... Seguramente... por la mañana jugaremos al baloncesto.
Camila: ¿Y por la tarde?
Eva: Por la tarde...
Camila: ¿Por qué no vamos al Club después de comer?, escucharemos música y... Pedro y José también vendrán...
Eva: ¡¡José...!! ¿A qué hora?
Camila: A las cuatro.
Eva: Vale, a las cuatro... Y por la noche, cenaremos en el *burger* y luego iremos a bailar. Oye... ¿Por qué no vamos todos juntos?
Camila: ¿Todos? Estupendo.
Eva: ¡Las nueve menos veinte! Me voy... Bueno, chao. Nos vemos el sábado por la tarde en el Club, ¿eh?
Camila: Que sí, claro... A las cuatro. Hasta el sábado.

Lección 14. ¿Quieres conocer tu futuro?

Página 93, actividad 3
Camila: ¿Quién quiere conocer su futuro?
José y Javier: Yo, yo...
Camila: Primero Javier. A ver... El sábado por la noche, o sea esta noche... arrasarás en la discoteca.
Javier: ¡¡Yo siempre arraso en la discoteca!!
José: ¿Y yo?
Camila: Eh... Sí... irás de excursión al campo con tus amigos, ¡¡y sin tus padres!!
José: ¡Sin mis padres, genial!
Camila: Y tú, Eva, ¿no quieres conocer tu futuro?
Eva: Bah... ¡Yo no creo en el horóscopo!
Camila: Venga...
Eva: Bueno... vale. ¿Qué dice?
Camila: Un amigo especial te invitará a una fiesta, pero no podrás ir porque estarás enferma.
Todos: (Risas.)
José: Espera, espera... ¡No te preocupes, te guardaré una ración de tarta!
Todos: (Risas.)
Eva: ¡Ja, ja, ja! Pásame el horóscopo, ahora voy a leer tu futuro, Pedro... Participarás en un concurso y ganarás el primer premio: un día con tu actor o tu actriz favoritos.
Pedro: ¡Un día con Penélope Cruz! ¡Bárbaro!
Eva: ¡Javier en la disco, José de excursión, tú con Penélope y yo enferma!
Camila: ¡Pero si tú no crees en el horóscopo!
Todos: (Risas.)

Unidad 8

Lección 15. ¡Y no vuelvas tarde!

Página 101, actividad 4
José: Bueno, ya me voy.
La madre: Vale, hijo, hasta la noche. Ponte el casco, ¡eh!
José: Sí... mamá.
La madre: Y circula siempre por la derecha.
José: Que sí... mamá.
El padre: No te agarres a las motos y no pases entre los coches.
José: Que no, papá, que no...
El padre: Respeta las señales de tráfico. Y no sueltes el manillar.
José: Ya lo sé... papá... Bueno, me voy.
La madre: Adiós, hijo, no corras, ¡eh!

Lección 16. ¡Me duele todo el cuerpo!

Página 104, actividad 1d
José: ¿Me enseñas a bailar el cíber?
Camila: ¡Claro! Es superfácil... A ver... Primero, separa un poco las piernas.
José: ¿Así?
Camila: Sí, muy bien. Ahora, pon los pies hacia dentro.

José: ¿Así?
Camila: Un poco más... Sí... muy bien. Bueno, ahora, levanta los brazos y pon las manos delante de la cara, con los dedos bien abiertos.
José: ¡Qué difícil!
Camila: Los dedos bien abiertos.
José: Vale...
Camila: Dobla un poco las rodillas. Venga... Otra vez... separa las piernas, los pies hacia dentro, levanta los brazos, las manos delante de la cara, los dedos bien abiertos... y dobla las rodillas. Sí, así... Ahora, mueve la cabeza y las caderas...
José: ¿Así?
Camila: Sí...
José: ¡Qué fácil!
Camila: Sí, ¡es superfácil!

Página 105, actividad 3a
1.
Madre: ¿Qué tal la fiesta?
José: Genial, pero ahora me duelen mucho los pies, no puedo andar.

2.
Camila: Ay...
Hermana: Pero, ¿qué te pasa?
Camila: Ay... Es que ayer bailé mucho y ahora me duelen las piernas. Voy a sentarme... ay... Y tú, ¿cómo estás?
Hermana: Pues a mí me duele el estómago, es que comí demasiado.

3. (Al teléfono.)
Pedro: ¿Diga?
Amigo: Soy yo... ¿Qué tal estás esta mañana?
Pedro: Pues, hoy no voy a salir, no puedo... Me duele mucho la espalda.
Amigo: Pues a mí no, yo estoy muy bien. Esta tarde voy a otra fiesta...

4.
Madre: ¡Venga, niña, despierta!... ¡que son las doce de la mañana!
Eva: Pero mamá...
Madre: ¡Venga! Que hoy vamos a casa de los abuelos.
Eva: No puedo ir... Estoy muy cansada y me duelen los brazos, la cintura, los pies... me duele todo...
Madre: ¡Ni hablar! ¡Arriba!
Eva: Mamá... por favor.

Conjugación

I. Auxiliares

SER

Presente	P. Perfecto	P. Indefinido	P. Imperfecto	Futuro	Imperativo	Presente Subjuntivo
soy	he sido	fui	era	seré		sea
eres	has sido	fuiste	eras	serás	sé (tú)	seas
es	ha sido	fue	era	será	sea (ud.)	sea
somos	hemos sido	fuimos	éramos	seremos	seamos (ntros/as)	seamos
sois	habéis sido	fuisteis	erais	seréis	sed (vtros/as)	seáis
son	han sido	fueron	eran	serán		sean

Gerundio: siendo.

ESTAR

Presente	P. Perfecto	P. Indefinido	P. Imperfecto	Futuro	Imperativo	Presente Subjuntivo
estoy	he estado	estuve	estaba	estaré		esté
estás	has estado	estuviste	estabas	estarás	está (tú)*	estés
está	ha estado	estuvo	estaba	estará	esté (ud.)	esté
estamos	hemos estado	estuvimos	estábamos	estaremos	estemos (ntros/as)	estemos
estáis	habéis estado	estuvisteis	estabais	estaréis	estad (vtros/as)	estéis
están	han estado	estuvieron	estaban	estarán	estén (uds.)	estén

Gerundio: estando.

* Esta forma sólo se usa con el pronombre "te": *estate tranquilo.*

HABER

Presente	P. Perfecto	P. Indefinido	P. Imperfecto	Futuro	Imperativo	Presente Subjuntivo
he	he habido	hube	había	habré		haya
has	has habido	hubiste	habías	habrás		hayas
ha	ha habido	hubo	había	habrá	haya (ud.)	haya
hemos	hemos habido	hubimos	habíamos	habremos	hayamos (ntros/as)	hayamos
habéis	habéis habido	hubisteis	habíais	habréis	habed (vtros/as)	hayáis
han	han habido	hubieron	habían	habrán	hayan (uds.)	hayan

Gerundio: habiendo.

2. Regulares • verbos en -AR

HABLAR

Presente	P. Perfecto	P. Indefinido	P. Imperfecto	Futuro	Imperativo	Presente Subjuntivo
hablo	he hablado	hablé	hablaba	hablaré		hable
hablas	has hablado	hablaste	hablabas	hablarás	habla (tú)	hables
habla	ha hablado	habló	hablaba	hablará	hable (ud.)	hable
hablamos	hemos hablado	hablamos	hablábamos	hablaremos	hablemos (ntros/as)	hablemos
habláis	habéis hablado	hablasteis	hablabais	hablaréis	hablad (vtros/as)	habléis
hablan	han hablado	hablaron	hablaban	hablarán	hablen (uds.)	hablen

Gerundio: hablando.

• VERBOS EN -CAR. Modelo: EXPLICAR
Se conjugan como "hablar", pero, cuando la terminación empieza por una "e", la "c" se transforma en "qu":
P. Indefinido: yo expliqué.
Imperativo: explique (ud.), expliquemos (ntros/as), expliquen (uds.).
Presente de Subjuntivo: explique, expliques, explique, expliquemos, expliquéis, expliquen.

• VERBOS EN -ZAR. Modelo: LANZAR
Se conjugan como "hablar", pero, cuando la terminación empieza por una "e", la "z" se transforma en "c":
P. Indefinido: yo lancé.
Imperativo: lance (ud.), lancemos (ntros/as), lancen (uds.).
Presente de Subjuntivo: lance, lances, lance, lancemos, lancéis, lancen.

• **VERBOS EN -GAR. Modelo: PAGAR**
Se conjugan como "hablar", pero, cuando la terminación empieza por una "e", la "g" se transforma en "gu":
P. Indefinido: yo pagué.
Imperativo: pague (ud.), paguemos (ntros/as), paguen (uds.).
Presente de Subjuntivo: pague, pagues, pague, paguemos, paguéis, paguen.

• verbos en -ER

COMER

Presente	P. Perfecto	P. Indefinido	P. Imperfecto	Futuro	Imperativo	Presente Subjuntivo
como	he comido	comí	comía	comeré		coma
comes	has comido	comiste	comías	comerás	come (tú)	comas
come	ha comido	comió	comía	comerá	coma (ud.)	coma
comemos	hemos comido	comimos	comíamos	comeremos	comamos (ntros/as)	comamos
coméis	habéis comido	comisteis	comíais	comeréis	comed (vtros/as)	comáis
comen	han comido	comieron	comían	comerán	coman (uds.)	coman

Gerundio: comiendo.

• **VERBOS EN -EER. Modelo: LEER**
Se conjugan como "comer", pero llevan una "y" en:
P. Indefinido, en las terceras personas: leyó, leyeron.
Gerundio: leyendo.

• verbos en -IR

VIVIR

Presente	P. Perfecto	P. Indefinido	P. Imperfecto	Futuro	Imperativo	Presente Subjuntivo
vivo	he vivido	viví	vivía	viviré		viva
vives	has vivido	viviste	vivías	vivirás	vive (tú)	vivas
vive	ha vivido	vivió	vivía	vivirá	viva (ud.)	viva
vivimos	hemos vivido	vivimos	vivíamos	viviremos	vivamos (ntros/as)	vivamos
vivís	habéis vivido	vivisteis	vivíais	viviréis	vivid (vtros/as)	viváis
viven	han vivido	vivieron	vivían	vivirán	vivan (uds.)	vivan

Gerundio: viviendo.

3. Irregulares • e > ie

CERRAR

Presente	P. Perfecto	P. Indefinido	P. Imperfecto	Futuro	Imperativo	Presente Subjuntivo
cierro	he cerrado	cerré	cerraba	cerraré		cierre
cierras	has cerrado	cerraste	cerrabas	cerrarás	cierra (tú)	cierres
cierra	ha cerrado	cerró	cerraba	cerrará	cierre (ud.)	cierre
cerramos	hemos cerrado	cerramos	cerrábamos	cerraremos	cerremos (ntros/as)	cerremos
cerráis	habéis cerrado	cerrasteis	cerrabais	cerraréis	cerrad (vtros/as)	cerréis
cierran	han cerrado	cerraron	cerraban	cerrarán	cierren (uds.)	cierren

Gerundio: cerrando.

Otros verbos:
• en -AR: calentar, despertarse, merendar, pensar, sentarse...
• en -ER: encender, entender, perder...

• **EMPEZAR, COMENZAR**
Se conjugan como "cerrar", pero, cuando la terminación empieza por una "e", la "z" se transforma en "c":
P. Indefinido: yo empecé, yo comencé.
Imperativo: empiece/comience (ud.), empecemos/comencemos (ntros/as), empiecen/comiencen (uds.).
Presente de Subjuntivo: empiece/comience, empieces/comiences, empiece/ comience, empecemos/comencemos, empecéis/comencéis, empiecen/comiencen.

• FREGAR

Se conjuga como "cerrar", pero, cuando la terminación empieza por una "e", la "g" se transforma en "gu":
P. Indefinido: yo fregué.
Imperativo: friegue (ud.), freguemos (ntros/as), frieguen (uds.).
Presente de Subjuntivo: friegue, friegues, friegue, freguemos, freguéis, frieguen.

• o > ue

CONTAR

Presente	P. Perfecto	P. Indefinido	P. Imperfecto	Futuro	Imperativo	Presente Subjuntivo
cuento	he contado	conté	contaba	contaré		cuente
cuentas	has contado	contaste	contabas	contarás	cuenta (tú)	cuentes
cuenta	ha contado	contó	contaba	contará	cuente (ud.)	cuente
contamos	hemos contado	contamos	contábamos	contaremos	contemos (ntros/as)	contemos
contáis	habéis contado	contasteis	contabais	contaréis	contad (vtros/as)	contéis
	han contado	contaron	contaban	contarán		cuenten

Gerundio: contando.

Otros verbos:
• en -AR: acordarse, acostarse, costar, encontrar, probar...
• en -ER: volver...

• ALMORZAR

Se conjuga como "contar", pero, cuando la terminación empieza por una "e", la "z" se transforma en "c":
P. Indefinido: yo almorcé.
Imperativo: almuerce (ud.), almorcemos (ntros/as), almuercen (uds.).
Presente de Subjuntivo: almuerce, almuerces, almuerce, almorcemos, almorcéis, almuercen.

JUGAR

Presente	P. Perfecto	P. Indefinido	P. Imperfecto	Futuro	Imperativo	Presente Subjuntivo
juego	he jugado	jugué	jugaba	jugaré		juegue
juegas	has jugado	jugaste	jugabas	jugarás	juega (tú)	juegues
juega	ha jugado	jugó	jugaba	jugará	juegue (ud.)	juegue
jugamos	hemos jugado	jugamos	jugábamos	jugaremos	juguemos (ntros/as)	juguemos
jugáis	habéis jugado	jugasteis	jugabais	jugaréis	jugad (vtros/as)	juguéis
juegan	han jugado	jugaron		jugarán	jueguen (uds.)	jueguen

Gerundio: jugando.

DORMIR

Presente	P. Perfecto	P. Indefinido	P. Imperfecto	Futuro	Imperativo	Presente Subjuntivo
duermo	he dormido	dormí	dormía	dormiré		duerma
duermes	has dormido	dormiste	dormías	dormirás	duerme (tú)	duermas
duerme	ha dormido	durmió	dormía	dormirá	duerma (ud.)	duerma
dormimos	hemos dormido	dormimos	dormíamos	dormiremos	durmamos (ntros)	durmamos
dormís	habéis dormido	dormisteis	dormíais	dormiréis	dormid (vtros)	durmáis
duermen	han dormido	durmieron	dormían	dormirán	duerman (uds.)	duerman

Gerundio: durmiendo.

• e > i

SERVIR

Presente	P. Perfecto	P. Indefinido	P. Imperfecto	Futuro	Imperativo	Presente Subjuntivo
sirvo	he servido	serví	servía	serviré		sirva
sirves	has servido	serviste	servías	servirás	sirve (tú)	sirvas
sirve	ha servido	sirvió	servía	servirá	sirva (ud.)	sirva
servimos	hemos servido	servimos	servíamos	serviremos	sirvamos (ntros/as)	sirvamos
servís	habéis servido	servisteis	servíais	serviréis	servid (vtros/as)	sirváis
sirven	han servido	sirvieron	servían		sirvan (uds.)	sirvan

Gerundio: sirviendo.

Otros verbos: despedirse, medir, pedir, repetir, vestir...

• CORREGIR
Se conjuga como "servir", pero, cuando la terminación empieza por una "a" o una "o", la "g" se transforma en "j":
Presente: yo corrijo.
Imperativo: corrija (ud.), corrijamos (ntros/as), corrijan (uds.).
Presente de Subjuntivo: corrija, corrijas, corrija, corrijamos, corrijáis, corrijan.

• SEGUIR
Se conjuga como "servir", pero, cuando la terminación empieza por una "a" o una "o", la "gu" se transforma en "g":
Presente: yo sigo.
Imperativo: siga (ud.), sigamos (ntros/as), sigan (uds.).
Presente de Subjuntivo: siga, sigas, siga, sigamos, sigáis, sigan.

• e > i/ie

PREFERIR

Presente	P. Perfecto	P. Indefinido	P. Imperfecto	Futuro	Imperativo	Presente Subjuntivo
prefiero	he preferido	preferí	prefería	preferiré		prefiera
prefieres	has preferido	preferiste	preferías	preferirás	prefiere (tú)	prefieras
prefiere	ha preferido	prefirió	prefería	preferirá	prefiera (ud.)	prefiera
preferimos	hemos preferido	preferimos	preferíamos	preferiremos	prefiramos (ntros/as)	prefiramos
preferís	habéis preferido	preferisteis	preferíais	preferiréis	preferid (vtros/as)	prefiráis
prefieren	han preferido	prefirieron	preferían	preferirán	prefieran (uds.)	prefieran

Gerundio: prefiriendo.

Otros verbos: mentir, sentir, divertirse...

• Verbos en -ecer/ocer. Modelo: conocer

Se conjugan como "comer", pero, cuando la terminación empieza por "a" o por "o", se añade una "z" antes de la "c":
Presente: conozco.
Imperativo: conozca (ud.), conozcamos (ntros/as), conozcan (uds.).
Presente de Subjuntivo: conozca, conozcas, conozca, conozcamos, conozcáis, conozcan.

Otros verbos: ofrecer, obedecer, parecer...

Otros verbos irregulares

ANDAR
• Indefinido: anduve, anduviste, anduvo, anduvimos, anduvisteis, anduvieron.
CAER
• Presente: caigo, caes, cae, caemos, caéis, caen.
• P. Indefinido: caí, caíste, cayó, caímos, caísteis, cayeron.
• Imperativo: cae (tú), caiga (ud.), caigamos (ntros/as), caed (vtros/as), caigan (uds.).
• Presente de Subjuntivo: caiga, caigas, caiga, caigamos, caigáis, caigan.
• Gerundio: cayendo.
DAR
• Presente: doy, das, da, damos, dais, dan.
• P. Indefinido: di, diste, dio, dimos, disteis, dieron.
DECIR
• Presente: digo, dices, dice, decimos, decís, dicen.
• P. Indefinido: dije, dijiste, dijo, dijimos, dijisteis, dijeron.
• Futuro: diré, dirás, dirá, diremos, diréis, dirán.
• Imperativo: di (tú), diga (ud.), digamos (ntros/as), decid (vtros/as), digan (uds.).
• Presente de Subjuntivo: diga, digas, diga, digamos, digáis, digan.
• Participio: dicho.
• Gerundio: diciendo.

HACER
- Presente: hago, haces, hace, hacemos, hacéis, hacen.
- P. Indefinido: hice, hiciste, hizo, hicimos, hicisteis, hicieron.
- Futuro: haré, harás, hará, haremos, haréis, harán.
- Imperativo: haz (tú), haga (ud.), hagamos (ntros/as), haced (vtros/as), hagan (uds.).
- Presente de Subjuntivo: haga, hagas, haga, hagamos, hagáis, hagan.
- Participio: hecho.

IR
- Presente: voy, vas, va, vamos, vais, van.
- P. Imperfecto: iba, ibas, iba, íbamos, ibais, iban.
- P. Indefinido: fui, fuiste, fue, fuimos, fuisteis, fueron.
- Imperativo: ve (tú), vaya (ud.), vayamos (ntros/as), id (vtros/as), vayan (uds.).
- Presente de Subjuntivo: vaya, vayas, vaya, vayamos, vayáis, vayan.
- Gerundio: yendo.

OÍR
- Presente: oigo, oyes, oye, oímos, oís, oyen.
- P. Indefinido: oí, oíste, oyó, oímos, oísteis, oyeron.
- Imperativo: oye (tú), oiga (ud.), oigamos (ntros/as), oíd (vtros/as), oigan (uds.).
- Presente de Subjuntivo: oiga, oigas, oiga, oigamos, oigáis, oigan.
- Gerundio: oyendo.

PODER
- Presente: puedo, puedes, puede, podemos, podéis, pueden.
- P. Indefinido: pude, pudiste, pudo, pudimos, pudisteis, pudieron.
- Futuro: podré, podrás, podrá, podremos, podréis, podrán.
- Presente de Subjuntivo: pueda, puedas, pueda, podamos, podáis, puedan.
- Gerundio: pudiendo.

PONER
- Presente: pongo, pones, pone, ponemos, ponéis, ponen.
- P. Indefinido: puse, pusiste, puso, pusimos, pusisteis, pusieron.
- Futuro: pondré, pondrás, pondrá, pondremos, pondréis, pondrán.
- Imperativo: pon (tú), ponga (ud.), pongamos (ntros/as), poned (vtros/as), pongan (uds.).
- Presente de Subjuntivo: ponga, pongas, ponga, pongamos, pongáis, pongan.
- Participio: puesto.

QUERER
- Presente: quiero, quieres, quiere, queremos, queréis, quieren.
- P. Indefinido: quise, quisiste, quiso, quisimos, quisisteis, quisieron.
- Futuro: querré, querrás, querrá, querremos, querréis, querrán.
- Presente de Subjuntivo: quiera, quieras, quiera, queramos, queráis, quieran.

SABER
- Presente: sé, sabes, sabe, sabemos, sabéis, saben.
- P. Indefinido: supe, supiste, supo, supimos, supisteis, supieron.
- Futuro: sabré, sabrás, sabrá, sabremos, sabréis, sabrán.
- Presente de Subjuntivo: sepa, sepas, sepa, sepamos, sepáis, sepan.

SALIR
- Presente: salgo, sales, sale, salimos, salís, salen.
- Futuro: saldré, saldrás, saldrá, saldremos, saldréis, saldrán.
- Imperativo: sal (tú), salga (ud.), salgamos (ntros/as), salid (vtros/as), salgan (uds.).
- Presente de Subjuntivo: salga, salgas, salga, salgamos, salgáis, salgan.

TENER
- Presente: tengo, tienes, tiene, tenemos, tenéis, tienen.
- P. Indefinido: tuve, tuviste, tuvo, tuvimos, tuvisteis, tuvieron.
- Futuro: tendré, tendrás, tendrá, tendremos, tendréis, tendrán.
- Imperativo: ten (tú), tenga (ud.), tengamos (ntros/as), tened (vtros/as), tengan (uds.).
- Presente de Subjuntivo: tenga, tengas, tenga, tengamos, tengáis, tengan.

VENIR
- Presente: vengo, vienes, viene, venimos, venís, vienen.
- P. Indefinido: vine, viniste, vino, vinimos, vinisteis, vinieron.
- Futuro: vendré, vendrás, vendrá, vendremos, vendréis, vendrán.
- Imperativo: ven (tú), venga (ud.), vengamos (ntros/as), venid (vtros/as), vengan (uds.).
- Presente de Subjuntivo: venga, vengas, venga, vengamos, vengáis, vengan.
- Gerundio: viniendo.

VER
- Presente: veo, ves, ve, vemos, veis, ven.
- P. Indefinido: vi, viste, vio, vimos, visteis, vieron.
- Imperativo: ve (tú), vea (ud.), veamos (ntros/as), ved (vtros/as), vean (uds.).
- Presente de Subjuntivo: vea, veas, vea, veamos, veáis, vean.

Glosario

ESPAÑOL	ITALIANO	FRANCÉS	INGLÉS	ALEMÁN	PORTUGUÉS
UNIDAD 1	UNIDAD 1	UNIDAD 1	UNIDAD 1	UNIDAD 1	UNIDAD 1
actividad (la)	attivitá	activité	activity	Aktivität	actividade
adorar	adorare	adorer	to adore	verehren	adorar
ajedrez (el)	schacchi	jeu d'échecs	chess	Schach	xadrez
amigo/a (el/la)	amico/a	ami/e	friend	Freund/Freundin	amigo/a
apasionar	appassionare	se passionner	to stir	begeistern	apaixonar
aprender	imparare	apprendre	to learn	lernen	aprender
apuntarse	iscriversi	s'inscrire	to enrol	sich anmelden	inscrever-se
arte (el)	arte	art	art	Kunst	arte
asignatura (la)	materia	matière	subjet	Fach	disciplina
bailar	ballare	danser	to dance	tanzen	dançar
baile (el)	ballo	danse	dancing	Tanz	dança
baloncesto/basquet (el)	pallacanestro	basket	basketball	Basketball	basquetebol
bañarse	fare il baño	se baigner	to take a bath	baden	tomar banho
barrio (el)	quartiere	quartier	district, area	Stadtviertel	bairro
biblioteca (la)	biblioteca	bibliothèque	library	Bibliothek	biblioteca
calle (la)	via	rue	street	Straße	rua
campo (el)	campagna	campagne	country	Land	campo
cantante (el/la)	cantante	chanteur	singer	Sänger/Sängerin	cantor
cartel (el)	manifesto, affisso	affiche	poster	Plakat	cartaz
celebrar	festeggiare	fêter	to celebrate	feiern	celebrar
chatear (en internet)	chattare	participer à un chat	to chat up	chatten	conversar num "chat"
cielo (el)	cielo	ciel	sky	Himmel	céu
cine (el)	cinema	cinéma	cinema	Kino	cinema
ciudad (la)	città	ville	city	Stadt	cidade
clase de danza (la)	corso di danza	cours de danse	dance lesson	Tanzstunde	aula de dança
cómic (el)	fumetto	bande dessinée	comic	Comic	banda desenhada
compañero/a (el/la)	compagno	copain	colleague	Kollege	colega
competición (la)	gara	compétition	competition	Wettkampf	competição
comunicarse	comunicarsi	communiquer	to communicate	kommunizieren	comunicar
concurso literario (el)	gara letteraria	concours littéraire	literary competition	Literaturwettbewerb	concurso literário
conjunto musical (el)	complesso musicale	emsemble musical	music group	Musikgruppe	conjunto musical
coro (el)	coro	chœur	choir	Chor	coro
correo electrónico (el)	posta elettronica	courrier électronique	e-mail	E-Mail	correio electrónico
crear	creare	créer	to do	schaffen	criar
cruzar	attraversare	traverser	to cross	überqueren	cruzar
de espaldas	di spalle	de dos	with one's back to	mit dem Rücken	de costas
deberes (los)	compiti	devoirs	homework	Hausaufgaben	trabalhos de casa
deporte (el)	sport	sport	sport	Sport	desporto
detestar	detestare	détester	to detest	verabscheuen	detestar
difícil	difficile	difficile	difficult	schwierig	difícil
divertirse	divertirsi	s'amuser	to enjoy	sich amüsieren	divertir-se
educación vial (la)	educazione stradale	education routière	road safety	Verkehrserziehung	educação rodoviária
encantar	impazzire	enchanter	to love, to delight	erfreuen	gostar de
encuesta (la)	sondaggio	enquête	opinion poll	Umfrage	inquérito
enseñar	insegnare	enseigner	to teach	lehren	ensinar
entrenarse	allenarsi	s'entraîner	to train	trainieren	treinar
equipo (el)	squadra	équipe	team	Gruppe	equipa
excursión (la)	gita	excursion	trip	Ausflug	excursão
favorito/a	favorito/a	favori/e	favourite	Lieblings-	favorito/a
ganar	vincere	gagner	to win	gewinnen	ganhar
gimnasio (el)	palestra	gymnase	gymnasium	Turnhalle	ginásio
hacer amigos	fare amici, amicizia	se faire des amis	to make friends	Freunde finden	fazer amigos
hacer gimnasia	fare palestra	faire de la gymnastique	to do gym	turnen	fazer ginástica
hacer preguntas	domandare	poser des questions	to ask	Fragen stellen	fazer perguntas
hacer surf	fare surf	faire du surf	to surf	surfen	praticar surf
hacer teatro	fare teatro	faire du théâtre	to act	Theater spielen	fazer teatro
historia (la)	storia	histoire	history	Geschichte	história
informática (la)	informatica	informatique	computer science	Informatik	informática
instituto (el)	liceo	lycée	institute	Gymnasium	liceu
jugar al fútbol	giocare a calcio	jouer au football	to play football	Fußball spielen	jogar futebol
leer	leggere	lire	to read	lesen	ler
llamar por teléfono	telefonare	téléphoner	to phone	telefonieren	telefonar
llorar	piangere	pleurer	to cry	weinen	chorar
manualidades (las)	lavori manuali	travaux manuels	handy-crafts	Handarbeiten	trabalhos manuais
mar (el)	mare	mer	sea	Meer	mar
monopatín (el)	monopattino, skate-board	trottinette	skate-board	Skateboard	trotinete
montar un grupo	formare un gruppo	former un groupe	to make a group	eine Gruppe bilden	formar um grupo
montón (el)	mucchio	beaucoup	a lot of	eine Menge	monte
museo (el)	museo	musée	museum	Museum	museu
natación (la)	nuoto	natation	swimming	Schwimmen	natação
naturaleza (la)	natura	nature	nature	Natur	natureza
navegar	navigare	naviguer	to sail	mit dem Schiff fahren	navegar
novela de ciencia-ficción (la)	romanzo di fantascienza	roman de science-fiction	science fiction story	Sciencefictionroman	novela de ficção científica
nube (la)	nuvola	nuage	cloud	Wolke	nuvem
obra de teatro (la)	opera teatrale	pièce de théâtre	theatre work	Theaterstück	obra de teatro
ordenador (el)	computer	ordinateur	computer	Computer	computador
organizar	organizzare	organiser	to organize	organisieren	organizar
pájaro (el)	uccello	oiseau	bird	Vogel	pássaro
parque de bomberos (el)	caserma dei pompieri	caserne des pompiers	fire station	Feuerwehrhaus	quartel de bombeiros
partido (el)	partita	match	match	Spiel	jogo
pasear	passeggiare	se promener	to take for a walk	spazieren gehen	passear
periodismo (el)	giornalismo	journalisme	journalism	Journalismus	jornalismo
perro/a (el/la)	cane	chien	dog	Hund	cão
pez (el)	pesce	poisson	fish	Fisch	peixe
pintar	dipingere	peindre	paint	malen	pintar
playa (la)	spiaggia	plage	beach	Strand	praia
poder	potere	pouvoir	can, to may	können	poder

ESPAÑOL	ITALIANO	FRANCÉS	INGLÉS	ALEMÁN	PORTUGUÉS
polideportivo (el)	palazzetto dello sport	salle omnisport	sports centre	Sportzentrum	recinto polidesportivo
practicar	praticare	pratiquer	to pratise	ausüben	praticar
presentar	presentare	présenter	to present	vorstellen	apresentar
pronto	presto	bientôt	soon	schnell	pronto
quedar (con alguien)	darsi appuntamento	donner rendez-vous	to meet	sich verabreden	combinar
quedarse	rimanere	rester	to stay	bleiben	ficar
querer	volere	vouloir	to want	mögen	querer
reír	ridere	rire	to laugh	lachen	rir
representar (una obra)	portare in scena	jouer une pièce	to play	aufführen	representar
resumir	fare il riassunto	résumer	to summarize	zusammenfassen	resumir
revista (la)	rivista	revue	the magazine	Zeitschrift	revista
sentir	sentire	sentir	to feel	spüren	sentir
suelo (el)	pavimento	sol	floor	Boden	solo, chão
taller (el)	laboratorio, scuola	atelier	workshop	Werkstatt	oficina
tarde (la)	pomeriggio	après-midi	afternoon	Abend	tarde
teatro (el)	teatro	théâtre	theatre	Theater	teatro
tele/televisión (la)	tivú, televisione	télévision	television	Fernsehen	televisão, TV
tenis (el)	tennis	tennis	tennis	Tennis	ténis
tiempo libre (el)	tempo libero	loisir	free time	Freizeit	tempos livres
tocar el piano	suonare il pianoforte	jouer du piano	to play the piano	Klavier, Gitarre... spielen	tocar piano, guitarra...
tratar de	tentare di	essayer	to try	versuchen	tratar de
ver	vedere	voir	to see	sehen	ver
visita (la)	visita	visite	visit	Besichtigung	visita
visitar	visitare	visiter	to visit	besichtigen	visitar
volar	volare	voler	to fly	fliegen	voar
yudo	judo	judo	judo	Judo	judo

UNIDAD 2	UNIDAD 2	UNIDAD 2	UNIDAD 2	UNIDAD 2	UNIDAD 2
abrir	aprire	ouvrir	to open	öffnen	abrir
abuelo/a (el/la)	nonno/a	grand-père/grand-mère	grandfather/grandmother	Großvater/Großmutter	avô/ó
agua	acqua	eau	water	Wasser	água
a la derecha	a destra	à droite	to the right	rechts	à direita
a la izquierda	a sinistra	à gauche	to the left	links	à esquerda
aprender de memoria	imparare a memoria	apprendre par cœur	to learn by heart	auswendig lernen	aprender de memória
aprobar (un examen)	essere promosso	être reçu/e	to pass	bestehen	passar
aspirina (la)	aspirina	aspirine	aspirin	Aspirintablette	aspirina
atender	stare attento	s'occuper de	to atiend to	beachten	prestar atenção
avenida (la)	viale, corso	avenue	avenue	Allee	avenida
banco (el)	banca	banque	bank	Bank	banco
barato/a	a buon mercato	bon marché	cheap	billig	barato/a
barra de pan (la)	ciabatta	baguette	french load, load of bread	Stange Brot	cacete
bici de montaña (la)	mountain-bike	vélo tout terrain	mountain bicycle	Mountainbike	bicicleta de montanha
billete (el)	biglietto	billet	banknote	Fahrkarte	nota
botella (la)	bottiglia	bouteille	bottle	Flasche	garrafa
carnicería (la)	macelleria	boucherie	butcher's shop	Metzgerei	talho
caro/a	caro/a	cher/ère	expensive	teuer	caro/a
casa (la)	casa	maison	house	Haus	casa
centro comercial (el)	centro commerciale	centre commercial	mall	Einkaufszentrum	centro comercial
chicle (el)	gomma da masticare	chewing-gum	chewing gom	Kaugummi	pastilha elástica
chuleta de cerdo (la)	nodino di maialecibo,	côtelette de porc	pork chop	Schweinskotelett	costeleta de porco
comida (la)	pranzo	repas	food	Essen	comida /almoço
comprar	comprare	acheter	to buy	kaufen	comprar
conseguir	riuscire a	obtenir	to get	erreichen	conseguir
consejo (el)	consiglio	conseil	advice	Rat	conselho
Correos	Posta	Poste	Post office	Post	Correios
cuaderno (el)	quaderno	cahier	exercise book	Heft	caderno
cumpleaños (el)	compleanno	anniversaire	birthday	Geburtstag	aniversário
dar de comer	dar da mangiare	donner à manger	to feed	zu essen geben	dar de comer
deportivas (las)	scarpe da tennis	baskets	trainers	Turnschuhe	sapatilhas, ténis
derecha	destra	droite	right	rechts	direita
ejercicio (el)	esercizio	exercice	exercise	Armee	exercício
elegir	scegliere	choisir	to choose	wählen	escolher
estrecho/a	stretto/a	étroit/e	narrow	eng	estreito/a
fácil	facile	facile	easy	einfach	fácil
farmacia (la)	farmacia	pharmacie	chemist's	Apotheke	farmácia
felicitar	fare gli auguri	souhaiter, féliciter	to congratulate	gratulieren	felicitar
fiesta (la)	festa	fête	party	Fest, Feiertag	festa
frutería (la)	fruttivendolo	le marchand de fruits	fruit shop	Obsthandlung	frutaria
fútbol (el)	calcio	football	football	Fußball	futebol
genial	geniale	génial	wonderfull	genial	fantástico
girar	girare	tourner	to turn, to go round	abbiegen	virar
habitación (la)	stanza, camera	chambre	room	Zimmer	quarto
hacer la compra	fare la spesa	faire les courses	to do the shopping	einkaufen	ir às compras
hacer los deberes	fare i compiti	faire les devoirs	to do the homework	Hausaufgaben machen	fazer os trabalhos de casa
helado (el)	gelato	glace	icecream	Eis	gelado
hospital (el)	ospedale	hôpital	hospital	Krankenhaus	hospital
invitación (la)	invito	invitation	invitation	Einladung	convite
izquierda	sinistra	gauche	left	links	esquerda
jersey (el)	maglione	pull	pullover	Pullover	camisola
kilo (el)	chilo	kilo	kilo	Kilo	quilo
lata de guisantes (la)	barattolo di piselli	boîte de petits pois	tin of peas	Dose Erbsen	lata de ervilhas
leche (la)	latte	lait	milk	Milch	leite
librería (la)	libreria	librairie	bookshop	Buchhandlung	livraria
libro (el)	libro	livre	book	Buch	livro
limón (el)	limone	citron	lemon	Zitrone	limão
limpiar	pulire	nettoyer	to clean	putzen	limpar
litro (el)	litro	litre	litre	Liter	litro
llegar tarde	arrivare in ritardo	arriver en retard	to be late	spät kommen	chegar tarde
loro (el)	papagallo	perroquet	parrot	Papagei	papagaio
maduro/a	maturo/a	mûr/e	mature	reif	maduro/a
mandar	inviare	envoyer	to send	schicken	mandar
melón (el)	melone	melon	melon	Melone	melão
mercado (el)	mercato	marché	market	Markt	mercado, praça
moderno/a	moderno/a	moderne	modern	modern	moderno/a
móvil (el)	cellulare	mobile	mobile	Handy	telemóvel
naranja (la)	arancia	orange	orange	Orange	laranja
necesitar	avere bisogno	avoir besoin de	to need	benötigen	necessitar

ESPAÑOL	ITALIANO	FRANCÉS	INGLÉS	ALEMÁN	PORTUGUÉS
panadería (la)	panetteria	boulangerie	bread-shop	Bäckerei	padaria
pantalones (los)	pantaloni	pantalon	trousers	Hose	calças
papelería (la)	cartoleria	papéterie	stationer's	Schreibwarengeschäft	papelaria
parque (el)	parco	parc	park	Park	parque
paseo (el)	viale, corso	promenade	walk, ride	Spaziergang	passeio
pastel (el)	torta	gâteau	cake	Kuchen	bolo
pastelería (la)	pasticceria	pâtisserie	cake-shop	Konditorei	pastelaria
pedir permiso	chiedere permesso	demander la permission	to ask permission	um Erlaubnis bitten	pedir licença
peluquería (la)	negozio di parrucchiere	salon de coiffure	hairdresser's shop	Friseursalon	cabeleireiro
pequeño/a	piccolo/a	petit/e	small	klein	pequeno/a
pescadería (la)	pescheria	poissonnerie	fish shop	Fischgeschäft	peixaria
plaza (la)	piazza	place	square, place	Platz	lugar, praça
poesía (la)	poesia	poésie	poetry	Gedicht	poesia
poner la mesa	apparecchiare il tavolo	mettre la table	to set the table	den Tisch decken	pôr a mesa
portátil (el)	portatile	ordinateur portable	portable computer	Laptop	portátil
preparar la comida	preparare il pranzo	préparer le repas	to get lunch	das Essen zubereiten	fazer o almoço
puesto de periódicos (el)	edicola	buraliste	newspaper stand	Zeitungskiosk	banca de jornais e revistas
regalo (el)	regalo	cadeau	present	Geschenk	presente
restaurante (el)	ristorante	restaurant	restaurant	Restaurant	restaurante
sacar de paseo	portare in giro	promener	to take someone for a walk	spazieren führen	levar a passear
seguir recto	continuare dritto	continuer tout droit	to go straight on	geradeaus weitergehen	seguir em frente
sello (el)	francobollo	timbre	stamp	Briefmarke	selo
servir	servire	servir	to serve	dienen zu	servir
supermercado (el)	supermercato	supermarché	supermarket	Supermarkt	supermercado
tableta de chocolate (la)	tavoletta di cioccolato	tablette de chocolat	tablet of chocolate	Tafel Schokolade	tablette de chocolate
tarta (la)	torta	tarte	cake	Torte	bolo de fatia
tienda de ropa (la)	biglietto	ticket	ticket	Ticket	tique
tique (el)	buttare via l'immondizia	jeter les ordures	to throw out the rubbish	Abfall wegwerfen	deitar fora o lixo
tirar la basura	negozio di abbigliamento	boutique	boutique	Bekleidungsgeschäft	loja de roupa, boutique
tomar	prendere	prendre	to take	nehmen	tomar, apanhar
torcer	girare	tourner	to twist, to turn	biegen	torcer
tortilla (la)	frittata	omelette	omelet	Omelett	tortilha
vaqueros (los)	jeans	jeans	jeans	Jeans	jeans
venir	ritornare	venir	to come	kommen	vir
ventana (la)	finestra	fenêtre	window	Fenster	janela
zapatería (la)	negozio di scarpe	magasin de chaussures	shoe shop	Schuhgeschäft	sapataria

UNIDAD 3	**UNIDAD 3**	**UNIDAD 3**	**UNIDAD 3**	**UNIDAD 3**	**UNIDAD 3**
abrigo (el)	cappotto	manteau	coat	Mantel	casaco comprido
alegre	allegro/a	joyeux	happy	fröhlich	alegre
amarillo/a	giallo/a	jaune	yellow	gelb	amarelo/a
ancho/a	largo/a	large	wide	weit	largo/a
azul	azzurro, blu	bleu/e	blue	blau	azul
balón (el)	pallone	ballon	ball	Ball	balão
blanco/a	bianco/a	blanc/che	white	weiß	branco/a
blusa (la)	camicetta	chemisier	blouse	Bluse	blusa
bolsillo (el)	tasca	poche	pocket	Tasche	bolso
bolso (el)	borsa	sac	handbag	Tasche	carteira
bonito/a	bello/a	joli/e	beautiful	schön	bonito/a
botas (las)	stivali	bottes	boots	Stiefel	botas
bueno/a	buono/a	bon/ne	good	gut	bom/boa
calcetines (los)	calzini	chaussettes	socks	Socken	peúgas
camisa (la)	camiccia	chemise	shirt	Hemd	camisa
camiseta (la)	maglietta	tee-shirt	t-shirt	T-Shirt	camisola, T-shirt
cazadora (la)	giubbotto	blouson	huntress, hunting-jacket	Jacke	blusão de ganga
chaleco (el)	gilè	gilet	waistcoat	Weste	colete
cinturón (el)	cintura	ceinture	belt	Gürtel	cinto
clásico/a	classico	classique	classic	klassisch	clássico/a
corto/a	corto/a	court/e	short	kurz	curto/a
de algodón	di cotone	en coton	of cotton	Baumwoll-	de algodão
de colores	a colori	de toutes les couleurs	in colours	farbig	colorido/a
de cuadros	a quadri	à carreaux	checked	kariert	aos quadrados
de lunares	a pois	à pois	spotted	getupft	às pintas
de pana	di velluto	en velours cotelet	corduroy	Cord-	de bombazina
de piel	di pelle	en cuir	of leather	Leder-	de pele
de rayas	a righe	à rayures	striped	gestreift	às riscas
demasiado/a	troppo	trop	too much	zu viel	demasiado
deportivo/a	sportivo/a	sportif/ve	sporty	sportlich	desportivo/a
elegante	elegante	élégant/e	smart	elegant	elegante
falda (la)	gonna	jupe	skirt	Rock	saia
fenomenal	fantastico	sensationnel	wonderful	großartig	óptimo
feo/a	brutto/a	vilain/e, laid/e	ugly	häßlich	feio/a
frío (el)	freddo	froid	cold	Kälte	frio
gafas (las)	occhiali	lunettes	glasses	Brille	óculos
grande	grande	grand/e	big	groß	grande
grandes almacenes (los)	grandi magazzini	grand magasin	general store	Kaufhaus	grandes armazéns
gris	griggio/a	gris/e	grey	grau	cinzento
hacer deporte	fare sport	faire du sport	to practise sport	Sport treiben	praticar desporto
horrible	orribile	horrible	horrible	schrecklich	horrível
informal	informale	décontracté/e	casual	informal	informal
ir con	abbinare	aller avec	to suit	zum Top passen	ficar bem com
juvenil	giovanile	jeune	youthful	jugendlich	juvenil
largo/a	lungo/a	long/ue	long	lang	comprido/a
liso/a	a tinta unita	lisse	smooth	glatt	liso/a
llevarse	essere di moda	à la mode	fashion	tragen	usar-se
malo/a	cattivo/a	mauvais/e	bad	schlecht	mau/má
manga corta (la)	maniche corte	manche courte	short sleeve	kurzärmelig	manga curta
marrón	marrone	marron	brown	braun	castanho
mejor	migliore	meilleur/e, mieux	better	besser	melhor
moreno/a	bruno/a	brun/e	dark	dunkelhäutig	moreno/a
naranja	arancione	orange	orange	orange	cor de laranja
negro/a	nero/a	noir/e	black	schwarz	preto/a
pantalón (el)	pantalone	pantalon	trousers	Hose	calça
pasado/a de moda	fuori moda	démodé/e	old fashion	altmodisch	fora de moda
patines (los)	pattini	roller	roller skate	Rollschuh	patins
pelo largo (el)	capelli lunghi	cheveux longs	long hair	lange Haare	cabelo comprido
pie (el)	piede	pied	foot	Fuß	pé

ESPAÑOL	ITALIANO	FRANCÉS	INGLÉS	ALEMÁN	PORTUGUÉS
práctico/a	pratico/a	pratique	practical	praktisch	prático/a
precioso/a	bellissimo/a	beau/belle	beautiful	kostbar	muito bonito/a
preferir	preferire	préférer	to prefer	vorziehen	preferir
probarse	misurarsi	essayer	to try on	anprobieren	provar
quitarse	togliersi	enlever	to take off	ausziehen	despir, tirar
rapero/a	rapper	rappeur	rapper	Kleiderschrank	cantor, músico de "rap"
raqueta (la)	racchetta	raquette	racket	Schläger	raqueta
reírse (de alguien)	prendere in giro	se moquer	to laugh of someone	lachen	rir-se, fazer troça
rojo/a	rosso/a	rouge	red	rot	encarnado/a
ropa (la)	abigliamento	vêtements	clothes	Kleidung	roupa
rubio/a	biondo/a	blond/e	blond	blond	louro/a
rueda (la)	ruota	roue	wheel	Rad	roda
sección de ropa (la)	sezioni di abigliamento	rayon vêtements	clothe's department	Bekleidungsabteilung	secção de roupa
sombrero (el)	cappello	chapeau	hat	Hut	chapéu
sudadera (la)	felpa	sweat-shirt	sweatshirt	Swearthirt	camisola, sweatshirt
top (el)	top	haut/e	top	Top	top
verde	verde	vert/e	green	grün	verde
vestido (el)	vestito	robe	dress	Kleid	vestido
violeta	viola	violet/e	violet	violett	roxo
zapatos (los)	scarpe	chaussures	shoes	Schuhe	sapatos

UNIDAD 4

ESPAÑOL	ITALIANO	FRANCÉS	INGLÉS	ALEMÁN	PORTUGUÉS
alfombra (la)	tappeto	tapis	carpet	Teppich	tapete
antiguo/a	antico/a	ancien/ne	ancient	alt	antigo/a
armario (el)	armadio	armoire	wardrobe, closet	Schrank	armário
ascensor (el)	ascensore	ascenseur	lift	Aufzug	elevador
ayudar	aiutare	aider	to help	helfen	ajudar
bajar la música	abbassare la musica	baisser le son	to turn the music low	die Musik leiser stellen	baixar a música
balcón (el)	balcone	balcon	balcony	Balkon	varanda
bañera (la)	vasca	baignoire	bath	Badewanne	banheira
cama (la)	letto	lit	bed	Bett	cama
cocina (la)	cucina	cuisine	kitchen	Küche	cozinha
cocina (la) (electrodoméstico)	cucina (a gas, cucina elettrica...)	cuisinière	cooker	Herd	fogão
cocinar	cucinare	cuisiner	to cook	kochen	cozinhar
colección (la)	collezione	collection	collection	Sammlung	colecção
color (el)	colore	couleur	colour	Farbe	cor
comedor (el)	stanza da pranzo	salle à manger	dining room	Speiseraum	sala de jantar
comer	mangiare	manger	to eat	essen	comer
cuarto de baño (el)	bagno	salle de bains	bathroom	Badezimmer	casa de banho
dar a la calle	affacciarsi alla strada	pignon sur rue	to look on to the street	zur Straße liegen	dar para a rua
desayunar	fare collazione	prendre le petit déjeuner	to have a breakfast	frühstücken	tomar o pequeno-almoço
descansar	riposare	se reposer	to rest	ausruhen	descansar
despertador (el)	sveglia	réveil	alarm clock	Wecker	despertador
dormir	dormire	dormir	to sleep	schlafen	dormir
ducha (la)	doccia	douche	shower	Dusche	duche
ducharse	fare la doccia	se doucher	to have a shower	duschen	tomar duche
fregadero (el)	lavandino	évier	sink	Spülbecken	lava-loiça
frigorífico/nevera (el/la)	frigorifero	réfrigérateur	fridge	Kühlschrank	frigorífico
globo terráqueo (el)	globo terraqueo	globe terrestre	globe	Globus	globo terrestre
invitar (a alguien)	invitare	inviter	to invite	einladen	convidar
jardín (el)	giardino	jardin	garden	Garten	jardim
jirafa (la)	girafa	girafe	giraffe	Giraffe	girafa
lámpara (la)	lampada	lampe	lamp	Lampe	candeeiro
lavabo (el)	lavabo	lavabo	washbasin	Waschbecken	lavatório
lavadora (la)	lavatrice	machine à laver	washing-machine	Waschmaschine	máquina de lavar
mesa (la)	tavolo	table	table	Tisch	mesa
mesilla (la)	tavolino	table de nuit	beadside table	Nachttisch	mesa de cabeceira
mueble (el)	mobile	meuble	piece of furniture	Möbelstück	móvel
pasar el/la aspirador/-a	passare l'aspirapolvere	passer l'aspirateur	to vacuum	Staubsauger	passar o aspirador, aspirar
pasillo (el)	corridoio	couloir	corridor	Gang	corredor
patio (el)	cortile	cour	yard	Hof	pátio
piso (vivienda) (el)	appartamento	appartement	flat	Wohnung	andar
piso (planta) (el)	piano	étage	floor	Stockwerk	piso
plano (el)	pianta	plan	map	Plan	planta
planta baja (la)	pianterreno	rez-de-chaussée	groundfloor	Erdgeschoß	rés-do-chão
póster (el)	poster, manifesto	poster	poster	Poster	poster
puerta (la)	porta	porte	door	Tür	porta
recibidor (el)	ingresso	hall d'entrée	hall	Vorzimmer	vestíbulo, hall de entrada
ruidoso/a	rumoroso/a	bruyant/e	noisy	geräuschvoll	barulhento/a
salón (el)	salotto	salon	lounge	Wohnzimmer	salão
silla (la)	sedia	chaise	chair	Stuhl	cadeira
sillón (el)	poltrona	fauteuil	arm chair	Sessel	cadeirão, poltrona
sofá (el)	divano	canapé	sofa	Sofa	sofá
soleado/a	soleggiato/a	ensoleillé/e	sunny	sonnig	solarengo/a
sorprendido/a	sorpreso/a	surpris/e	surprised	überrascht	surpreendido/a
tareas domésticas (las)	faccende domestiche	tâches domestiques	homeworks	Hausarbeiten	tarefas domésticas
terraza (la)	terrazzo	terrasse	terrace	Terrasse	varanda
váter (el)	tazza	w.c.	toilet, water closet	Toilette	wc
vestirse	vestirsi	s'habiller	to get dressed	sich anziehen	vestir-se
vivir	vivere	vivre	to live	leben	viver

UNIDAD 5

ESPAÑOL	ITALIANO	FRANCÉS	INGLÉS	ALEMÁN	PORTUGUÉS
aburrirse	annoiarsi	s'ennuyer	to get bored	sich langweilen	Aborrecer-se
accidente (el)	incidente	accident	accident	Unfall	acidente
aceite (el)	olio	huile	oil	Öl	azeite, óleo
aceituna (la)	oliva	olive	olive	Olive	azeitona
albaricoque (el)	albicocca	abricot	apricot	Aprikose	alperce, damasco
alimentación (la)	alimentazione	alimentation	food	Ernährung	alimentação
almendra (la)	mandorla	amande	almond	Mandel	amêndoa
animal (el)	animale	animal	animal	Tier	animal
añadir	aggiungere	ajouter	to add	hinzufügen	acrescentar
aprovechar para	approfittare per	profiter de	to take advantage of	nutzen für	aproveitar para
apuntar	segnare	noter	to make a note of	aufschreiben	anotar
arroz (el)	riso	riz	rice	Reis	arroz
asustado/a	spaventato	apeuré	scared	erschrocken	assustado

ESPAÑOL	ITALIANO	FRANCÉS	INGLÉS	ALEMÁN	PORTUGUÉS
asustarse	spaventarsi	avoir peur de	to be frightened	erschrecken	assustar-se
atún (el)	tonno	thon	tuna	Thunfisch	atum
avispa (la)	vespa	guêpe	wasp	Wespe	vespa
avellana (la)	nocciola	noisette	hazelnut	Haselnuss	avelã
azúcar (el)	zucchero	sucre	sugar	Zucker	açúcar
bocadillo (el)	panino	sandwich	sandwich	belegtes Brötchen	sandes
bollo (el)	brioche	viennoiserie	bun	Brötchen	bolo
bombón (el)	cioccolatino	chocolat	chocolate	Praline	bombom
café (el)	caffe	café	coffee	Kaffee	café
calcio (el)	calcio	calcium	calcium	Kalzium	cálcio
cámara (de fotos) (la)	macchina fotografica	appareil-photo	still camera	Photoapparat	máquina fotográfica
cantidad (la)	quantità	quantité	quantity	Menge	quantidade
carne (la)	carne	viande	meat	Fleisch	carne
cereales (los)	cereali	céréales	cereal	Cornflakes	cereais
chaqueta (la)	giacca	veste	jacket	Jacke	casaco
chocolate (el)	cioccolato	chocolat	chocolate	Schokolade	chocolate
cita (la)	appuntamento	rendez-vous	date, appointment	Termin	encontro
coche (el)	macchina	voiture	car	Auto	carro
convenir	mettersi d'accordo	accorder	to agree	vereinbaren	acordar, concordar em
copa (la)	coppa	verre	glass	Glas	copo
copos de maíz (los)	fiocchi di mais	corn flakes	corn-flake	Maisflocken	flocos de trigo milho
cortar	tagliare	couper	cut	schneiden	cortar
crema (la)	crema	crème	cream	Sahne	creme
cubiertos (los)	posate	couverts	cutlery	Besteck	talheres
cuchara (la)	cucchiaio	cuillère	spoon	Löffel	colher
cucharilla (la)	cucchiaino	petite cuillère	teaspoon	Kaffeelöffel	colherzinha
de usar y tirar	usa e getta	jetable	disposable	Einweg-	de usar e deitar fora
embutido (el)	insacatti	charcuterie	sausage	Wurst	enchido
en trozos	a pezetti	en morceaux	in pieces	in Stücken	aos bocados
energía (la)	energia	énergie	energy	Energie	energia
ensalada (la)	insalata	salade	salad	Salat	salada
equivocarse	sbagliarsi	se tromper	to get wrong	sich täuschen	enganar-se
esquiar	sciare	faire du ski	to ski	Ski fahren	esquiar
estar en forma	essere in forma	être en forme	to be in good form	in Form sein	estar em forma
fibra (la)	fibra	fibre	fibre	Faser	fibra
fresa (la)	fragola	fraise	strawberry	Erdbeere	morango
fruta (la)	frutta	fruit	fruit	Obst	fruta
frutos secos (los)	frutta secca	fruits secs	dry fruit and nuts	Trockenobst	frutos secos
fuente (la)	piatto di portato	plat	serving dish	Schüssel	travessa de ir ao forno
galleta (la)	biscotti	biscuit	biscuit	Keks	bolacha
garbanzos (los)	ceci	pois chiche	chick-pea	Kichererbse	grão
horario (el)	orario	horaire	timetable	Fahrplan	horário
huevo (el)	uovo	œuf	egg	Ei	ovo
huevo cocido/duro (el)	uovo sodo	œuf dur	hard-boiled egg	hartes Ei	ovo cozido, duro
jamón (el)	prosciutto	jambon	ham	Schinken	presunto
judías verdes (las)	fagiolini	haricots verts	green beans	grüne Bohnen	feijão verde
judías (secas) (las)	fagioli	haricots blancs	haricot beans	Trockenbohnen	feijão
lavar	lavare	laver	to wash	Waschen	lavar
lentejas (las)	lenticchie	lentilles	lentils	Linsen	lentilhas
macarrones (los)	penne	macaronis	macaroni	Makkaroni	macarrão
maíz (el)	mais	maïs	corn	Mais	milho
mango (el)	mango	mangue	crop	Mango	manga
mantel (el)	tovaglia	nappe	tablecloth	Tischdecke	toalha
mantequilla (la)	burro	beurre	butter	Butter	manteiga
manzana (la)	mela	pomme	apple	Apfel	maçã
mapa (el)	mappa	carte	map	Landkarte	mapa
marcharse	andarsene via	partir	to leave	weggehen	ir-se embora
medio de transporte (el)	mezzo di trasporto	moyen de transport	method of transport	Transportmittel	meio de transporte
melocotón (el)	pesca	pêche	peach	Pfirsich	pêssego
miel (la)	miele	miel	honey	Honig	mel
minerales (los)	minerali	minéraux	mineral	Mineralien	minerais
mochila (la)	zaino	sac à dos	pack	Rucksack	mochila
nevar	nevicare	neiger	to snow	schneien	nevar
nuez (la)	noce	noix	nut	Nuss	noz
ojo (el)	occhio	œil	eye	Auge	olho
olvidarse	dimenticare	oublier	to forget	vergessen	esquecer-se
palomitas de maíz (las)	pop-corne	pop corn	pop corn	Popcorn	pipocas de milho
pan (el)	pane	pain	bread	Brot	pão
parar	fermare	arrêter	to stop	anhalten	parar
pasta (la)	pasta	pâte	paste	Nudeln	massa
pelar	sbucciare	éplucher	to peel	schälen	pelar
peligroso/a	pericoloso/a	dangereux/se	dangerous	gefährlich	perigoso/a
pepino (el)	cetriolo	concombre	cucumber	Gurke	pepino
pera (la)	pera	poire	pear	Birne	pêra
perderse	perdersi	se perdre	to get lost	sich verlaufen	perder-se
permitir	permettere	permettre	to allow	erlauben	permitir
pescado (el)	pesce	poisson	fish	Fisch	peixe, pescado
picar	pungere	piquer	to bite	stechen	picar
picotear	beccare	picoter	to peck busily	Häppchen essen	picar
piña (la)	ananas	ananas	pineapple	Ananas	ananás
plato de postre (el)	piatto da dessert	assiette à dessert	pudding plate	Kuchenteller	prato de sobremesa
plato hondo/sopero (el)	piatto fondo	assiette creuse	dish	Supenteller	prato fundo/de sopa
plato liso/llano (el)	piatto piano	assiette plate	plate	flacher Teller	prato raso
pollo (el)	pollo	poulet	chicken	Hähnchen	frango
pomelo (el)	pompelmo	pamplemousse	grapefruit	Grapefruit	toranja
postre (el)	dessert	dessert	dessert	Nachspeise	sobremesa
producto lácteo (el)	prodotto latteo	produit laitier	milk products	Milchprodukt	produto lácteo, lacticínio
puerro (el)	porro	poireau	leek	Lauch	alho francês
quedarse dormido/a	addormentarsi	s'endormir	to fall asleep	einschlafen	deixar-se dormir
queso (el)	formaggio	fromage	cheese	Käse	queijo
radio-despertador (la)	radiosveglia	radio-réveil	radio alarm clock	Radiowecker	rádio despertador
receta (la)	ricetta	recette	recipe	Rezept	receita
reloj (el)	orologio	montre	watch	Uhr	relógio
reponer	rimettere	faire le plein d'énergie	to replace	ersetzen	repor
roto/a	rotto	cassé/e	broken	kaputt	partido/a
ruido (el)	rumore	bruit	noise	Lärm	ruído
sal (la)	sale	sel	salt	Salz	sal
salchichón (el)	salame	saucisson	salami	Dauerwurst	salsichão

ESPAÑOL	ITALIANO	FRANCÉS	INGLÉS	ALEMÁN	PORTUGUÉS
servilleta (la)	tovagliolo	serviette	tablenapkin	Serviette	guardanapo
sitio a la sombra (el)	posto all'ombra	place à l'ombre	shade	Platz im Schatten	sítio à sombra
sopa (la)	zuppa	soupe	soup	Suppe	sopa
taza (la)	tazza	tasse	cup	Tasse	taça
tazón (el)	scodella	bol	bowl	Schale	taça grande, malga
tenedor (el)	forchetta	fourchette	fork	Gabel	garfo
tener hambre	avere fame	avoir faim	to be hungry	Hunger haben	ter fome, estar com fome
tienda de campaña (la)	tenda	tente de camping	tent	Zelt	tenda de campanha
tomate (el)	pomodoro	tomate	tomato	Tomate	tomate
tortilla (francesa) (la)	homelette	omelette	french omelet	Eieromelette	tortilha (de ovo)
Urgencias (las)	Pronto Soccorso	Urgences	A.B.E (Accident and Emergency)	Notaufnahme	Urgências
vaso (el)	bicchiere	verre	glass	Glas	copo
verdura (la)	verdura	légumes verts	vegetables	Gemüse	verduras
vitamina (la)	vitamina	vitamine	vitamin	Vitamin	vitamina
zanahoria (la)	carota	carotte	carrot	Karotte	cenoura
zorro/a (el/la)	volpe	renard	fox	Fuchs	raposo/a
zumo (el)	succo	jus de fruit	juice	Saft	sumo

UNIDAD 6	UNIDAD 6	UNIDAD 6	UNIDAD 6	UNIDAD 6	UNIDAD 6
abrazarse	abbracciarsi	s'étreindre	to hug	sich umarmen	abraçar-se
aburrido/a	noioso/a	ennuyeux/se	bored	langweilig	aborrecido
acampada (la)	campeggio	camping	camping	Zeltlager	acampamento
acampar	campeggiare	camper	to camp	zelten	acampar
acertar	indovinare	tomber dessus	to hit	erraten	acertar
acomodador/-a (el/la)	maschera, lucciola	ouvreur/se	usher/usherette	Platzanweiser/in	arrumador/a
acostarse	coricarsi	se coucher	to go to bed	ins Bett gehen	deitar-se
adivinar	indovinare	deviner	to guees	raten	adivinhar
alto/a	alto/a	grand/e, haut/e	tall	groß	alto/a
anunciar	annunciare	annoncer	to announce	ankündigen	anunciar
avión (el)	aereo	avion	plane	Flugzeug	avião
barba (la)	barba	barbe	beard	Bart	barba
beso (el)	bacio	bise	kiss	Kuß	beijo
bigote (el)	baffi	moustache	moustache	Schnurrbart	bigode
boda (la)	nozze	noces	wedding	Hochzeit	boda, casamento
cadena de cines (la)	catena di cinema	chaîne de cinéma	chaine of cinema	Kinokette	cadeia de cinemas
caerse	cadere	tomber	to fall down	stürzen	cair
camarero/a (el/la)	cameriere/a	serveur/se	waiter/tress	Kellner/Kellnerin	empregado/a de mesa
cansado/a	stanco/a	fatigué/e	tired	müde	cansado/a
cohete (el)	razzo	fusée	rocket	Rakete	foguetão
coleccionar	collezionare	collectionner	to collect	sammeln	coleccionar
decidir	decidere	décider	to settle	entscheiden	decidir
dejar	lasciare	laisser	to let	leihen, verlassen	deixar
delgado/a	magro/a	maigre	thin	schlank	magro/a
deportista (el/la)	sportivo	sportsman/sportswoman	sportsman/sportswoman	Sportler/Sportlerin	desportista
desordenado/a	disordinato/a	désordonné/e	undity	unordentlich	desarrumado/a
detalle (el)	particolare	détail	detail	Detail	detalhe
distinto/a	diverso/a	différent/e	different	verschieden	diferente
divertido/a	divertente	amusant/e	funny	lustig	divertido/a
dueño/a (el/la)	proprietario/a	propriétaire	owner	Besitzer/Besitzerin	dono/a
entrada (la)	ingresso	entrée	entrance	Eintritt	bilhete
espejo (el)	specchio	miroir	mirror	Spiegel	espelho
esperar	aspettare, sperare	attendre	to wait	warten	esperar
esquí (el)	sci	ski	ski	Ski	esqui
estar de moda	essere di moda	être à la mode	to be in fashion	in Mode sein	estar na moda
estrenar	inaugurare	étrenner	to use for the first time	zum ersten Mal anziehen	estrear
estudioso/a	studioso/a	studieux/se	studious	fleißig	estudioso/a
existir	essistere	exister	to exist	existieren	existir
frasco de perfume (el)	bottiglietta di profumo	flacon de parfum	small bottle	Parfümfläschchen	frasco de perfume
geografía (la)	geografia	géographie	geography	Geographie	geografia
gordo/a	grasso/a	gros/se	fat	dick	gordo/a
gracioso/a	spiritoso/a	drôle	funny	witzig	engraçado/a
hacer calor	fare caldo	faire chaud	to be hot	warm sein	estar calor
hacerse el despistado	fare orecchie da mercante	faire l'étourdi	to look innocent	vortäuschen	fazer-se de desentendido
lleno/a	pieno	plein/e	full	voll	cheio/a
llevar	portare	porte	to carry	tragen	levar
maleta (la)	valigia	valise	suitcase	Koffer	mala
mentir	dire bugie	mentir	to lie	lügen	mentir
nadar	nuotare	nager	to swim	schwimmen	nadar
nadie	nessuno	personne	nobody, no one	niemand	ninguém
nostalgia (la)	nostalgia	nostalgie	nostalgia	Heimweh	nostalgia
novela de aventura (la)	romanzo di avventure	roman d'aventure	adventure stories	Abenteuerroman	romance de aventuras
película (la)	film	film	movie	Film	filme
pelo/rizado/corto... (el)	capelli ricci, corti...	cheveux frisés/courts	curly hair/short hair	gelockte/kurze Haare	cabelo /encaracolado/curto...
pensar	pensare	penser	to think	denken	pensar
perder	perdere	perdre	to loose	verlieren	perder
pintado/a	dipinto/a	peint/e	painted	bemalt	pintado/a
piscina (la)	piscina	piscine	swimming pool	Schwimmbad	piscina
pobre	povero/a	pauvre	poor	arm	pobre
ponerse/echarse a reír	mettersi a ridere	se mettre à rire/s'esclaffer	to begin to laugh	auflachen	pôr-se/desatar a rir
programa (el)	programma	programme	program	Programm	programa
recoger la habitación	mettere a posta la stanza	mettre de l'ordre	to tidy up the room	das Zimmer aufräumen	arrumar o quarto
recordar	ricordare	se souvenir	to remember, to remind	erinnern	recordar, lembrar
rico/a	ricco/a	riche	rich	reich	rico/a
tapar	coprire	cacher	to cover	zudecken	tapar
tener ganas de	avere voglia di	avoir envie de	to feel like	Lust haben, etwas zu tun	ter vontade de
tener sed	avere sete	avoir soif	to be thirsty	durstig sein	ter, estar com sede
tener tiempo	avere tempo	avoir du temps	to have time	Zeit haben	ter tempo
tesoro (el)	tesoro	trésor	treasure	Schatz	tesouro
tímido/a	timido/a	timide	shy	schüchtern	tímido/a
trabajo (el)	lavoro	travail	job	Arbeit	trabalho
traje (el)	completo	costume	suit	Anzug	fato
transformarse	trasformarsi	se transformer	to change	umwandeln	transformar-se
tumbarse	sdraiarsi	s'allonger	to lie down	sich hinlegen	deitar-se, estender-se
último/a	ultimo/a	dernier/ère	last	letzter/letzte	último/a
vender	vendere	vendre	to sell	verkaufen	vender
viejo/a	vecchio/a	vieux/vieille	old	alt	velho/a
vuelo (de un avión) (el)	volo	vol	flight	Flug	voo